D1167989

Township of Russell
Public Library

La piste sanglante

Du même auteur

chez le même éditeur

Akuna-Aki, meneur de chiens, roman, Ottawa, Les Éditions L'Interligne, 2007 (lauréat du Prix des lecteurs Radio-Canada).

Aurélie Waterspoon, roman, Ottawa, Les Éditions L'Interligne, 2008 (finaliste du Prix des lecteurs 15-18 ans Radio-Canada et Centre FORA).

chez d'autres éditeurs

Hokshenah, l'esprit du loup blanc, Paris, Les Éditions Les 3 Orangers, 2003 (finaliste du Prix littéraire 30 Millions d'Amis).

L'homme aux yeux de loup, Ottawa, Les Éditions David, 2006 (finaliste du Prix des lecteurs Radio-Canada, du Prix Trillium et du Prix littéraire 30 Millions d'Amis).

Gilles Dubois

La piste sanglante

Roman

Collection « Cavales »

Catalogage avant publication de Bibliothèque et Archives Canada

Dubois, Gilles, 1945-
La piste sanglante : roman / Gilles Dubois.

(Cavales)
ISBN 978-2-923274-20-1

I. Titre. II. Collection: Cavales

PS8557.U23476P48 2009 jC843'.6 C2009-905441-8

Les Éditions L'Interligne
261, chemin de Montréal, bureau 306
Ottawa (Ontario) K1L 8C7
Tél. : 613 748-0850 / Téléc. : 613 748-0852
Adresse courriel : communication@interligne.ca
www.interligne.ca

Distribution : Diffusion Prologue inc.

ISBN : 978-2-923274-20-1

Dépôt légal : troisième trimestre 2009
Bibliothèque nationale du Canada

À Carol et Ewen Mc Leod, ainsi qu'à mes élèves,
avec affection et reconnaissance, pour tout
ce qu'ils m'ont appris.

La cruauté envers les bêtes est la violation d'un devoir
de l'homme envers lui-même.
Emmanuel Kant, 1724-1804.

Un jour de famine, une femme creuse un trou dans une rivière gelée et en extrait le caribou. Mais les orgueilleux chasseurs ne tuant que les plus belles bêtes du providentiel troupeau, il ne reste bientôt que les animaux en mauvaise santé. Alors la femme retourne au trou sur la rivière et en tire Amarok, le loup. Celui-ci, ne prélevant que les caribous impropres à la consommation humaine, élimina la menace d'extinction qui pesait sur le troupeau et ainsi, sauva les peuples nordiques.

Naissance du loup,
d'après une légende inuite

Prologue

Le soleil jaillit d'un coup entre deux pics bleutés. Mais sitôt levé, le voici harcelé par de lourds nuages pourpres et noirs aux formes tourmentées. Un ciel aux couleurs de tragédie. William, le chercheur d'or, harnache ses chiens eskimos. Quelques corbeaux géants se disputent des restes de poissons laissés par les huskies devant sa cabane. William va « jouer dans ses cailloux », comme il aime à le dire. Pourtant, le voilà indécis. Une prémonition déplaisante s'agite au fond de lui. La tempête qui menace projette sur le paysage des éclairs bleutés. L'atmosphère est saturée d'électricité, comme dans un ciel d'été. Le phénomène étrange met comme une angoisse sourde sur le décor.

Bah ! Il ne va pas renoncer à cette sortie à cause d'un mauvais pressentiment. William prend la piste.

À dix portées de flèche du village, son petit monde paisible est précipité dans la folie, l'incompréhensible devient loi nouvelle alors que la nature semble en plein déséquilibre. La scène à laquelle assiste William n'appartient pas à son univers habituel. Sa gorge se serre, l'angoisse lui broie la poitrine à le faire hurler comme un dément ; ses yeux s'agrandissent d'horreur. Là, à cent pas de lui à peine, se dressent des monstres gigantesques, assurément animaux de la préhistoire, hideux, ignobles. Quatre bêtes, telles qu'ils n'en a jamais vu, bloquent son chemin ; leurs petits yeux rouges, impitoyables, sont remplis d'une sorte de rage meurtrière qui met en l'esprit de l'homme une terreur sans nom. De leurs gueules puissantes s'écoule une bave teintée de sang ; en jaillissent de longs crocs, encore sanglants de la dernière proie massacrée. Ces Bêtes affamées, amaigries par les privations, n'en demeurent pas moins colossales. Elles observent l'homme avec des grondements caverneux qui ressemblent à des gémissements humains. William est anéanti, incapable de réagir logiquement. Comment sortir vivant de cette terrifiante rencontre ? Il calcule ses chances de survie.

Dieu ! Elles sont inexistantes.

L'attaque des monstres est foudroyante. William profite de la résistance désespérée de ses huit chiens pour s'enfuir. Mais la toundra ne lui offre que son immensité nue jusqu'à l'horizon. Il est perdu ! À moins que... oui, ce bouquet d'arbres, là-bas. Mais Seigneur, il se trouve si loin. Vite! Hélas, la neige est légère, épaisse. Malgré ses raquettes, il s'enfonce jusqu'aux genoux. Rapidement, la résistance de ses chiens prend fin. Suit un court silence, puis éclatent des cris sauvages. Les prédateurs démoniaques se disputent le cadavre des victimes. L'homme redouble d'effort. Il a l'impression d'entendre claquer les mâchoires de l'ignoble festin. Les arbres semblent s'éloigner à mesure qu'il s'en approche. Une diablerie! Vite, plus vite...

Dieu! Les tueurs sont en route. Leurs souffles rauques se rapprochent. Les jambes de William s'alourdissent, sa respiration se précipite. L'air se dérobe devant sa bouche. Il est à peine capable d'en saisir les gorgées vitales. Les animaux diaboliques sont si proches…

William perçoit le choc de leurs bonds de lapin, pattes groupées, filant à la queue leu leu, *la queue le loup*, disaient les anciens, chaque Bête retombant dans les traces de la précédente afin d'économiser son énergie. Queue leu leu. Les mots jadis le faisaient rire. Leu-leu... la-la... Il imagine les grands corps prenant des formes d'arc à chaque foulée: tendus, détendus, tendus...

Soudain, le temps s'arrête. L'air s'alourdit, rempli de mystère, de tragédie. Le silence devient palpable. Les oiseaux s'agrippent à leurs perchoirs, les renards rentrent précipitamment dans leurs terriers. La mort est là, imparable.

Le cercle de fauves se referme sur William. Les Bêtes s'accrochent à lui de tous côtés. L'homme n'a même pas le temps de prononcer le nom d'un être aimé, encore moins d'invoquer le ciel. Quant aux souvenirs, aux visages, aux gestes de sa vie, ils ne lui appartiennent déjà plus. Son existence prend fin en d'abominables souffrances. Une menace sournoise vient de s'abattre sur cette région reculée du Grand Nord canadien.

La tempête façonne le décor à coups de rafales mugissantes, lui rend sa beauté, une douceur capable de mettre quelque poésie dans l'air. Le vent capricieux porte des odeurs changeantes, âcres ou sucrées, prélevées aux quatre coins de ce paysage nordique désolé. Un écureuil, petite boule blanche confondue à son perchoir neigeux, lance un appel caquetant.

Chapitre I

La tempête se déchaîne, tornade blanche impitoyable qui balaie le paysage, serpente entre les montagnes majestueuses. Des rafales tourbillonnantes cinglent le paysage d'un horizon à l'autre. Et là, au cœur des éléments en furie, un traîneau solitaire, tiré par un seul animal, défie la colère du ciel.

Le conducteur est un adolescent solidement bâti. On peut aisément voir à son allure décidée que, malgré son âge, il est un homme hors du commun. Il se rit des éléments tumultueux, lancé sur la vieille piste d'une famille d'ours bruns. Pour lui, ces courses en forêt représentent la liberté totale. Ici, il est le maître.

— *Mush!* Va, mon loup! Marche!

La bête est en effet un loup des bois, animal énorme au pelage flamboyant, que les gens de la montagne respectent au point de le surnommer Kittu-Pekiskwao, « le Loup qui va parler ». Parfois, le garçon chemine à petites foulées derrière son traîneau ; à d'autres moments, souffle court, il s'installe sur le repose-pied, se laisse emporter.

Et voilà qu'à un tournant du chemin, le jeune homme découvre deux hommes d'allure farouche en travers de la piste. Il les connaît, ayant déjà échangé avec eux des mots violents. Leurs huit chiens, détachés, grondent devant eux.

L'adolescent éprouve une intense excitation. Il arrête son traîneau. Les crocs d'os du frein mordent la glace avec un crissement. Il détache prestement les sangles du loup.

— Écartez-vous et j'oublierai vos mauvaises manières, lance-t-il.

Les voyageurs s'esclaffent. Ce freluquet qui ose les défier !

L'un des hommes lance d'un cri ses chiens à l'attaque. Les huskies se précipitent vers l'adolescent avec des grondements. Le loup n'attendait que cela. Il bondit à la rencontre de la meute. Le premier chien qui se présente à lui est égorgé dans la seconde qui suit. Une autre attaque et un husky s'abat, sans vie. Le jeune homme, planté au milieu du chemin, reçoit ses adversaires avec son fouet en intestin de caribou. La mince lanière siffle, cingle le visage du voyageur le plus proche, y trace un sillon sanglant. Le deuxième homme empoigne son couteau. Le fouet fait à nouveau entendre son chuintement ; la main armée est saisie, tirée, et l'homme se retrouve à plat ventre.

— Vous avez compris ? s'informe l'adolescent moqueur.

— D'accord, on s'en va, ronchonne le voyageur blessé au visage.

Le jeune homme flatte la tête du loup et glisse à son épaule le harnais du traîneau.

— Dégagez le chemin, on passe.

L'adolescent laisse échapper un grognement de satisfaction. Avec ce loup, il est invulnérable !

❧

Le vieux pousse la porte de la cabane sans fenêtre bâtie derrière chez lui où il entrepose fourrures et peaux. Il allume trois petites lampes à huile et enfile des gants souples. Il se met en position devant le sac pendu au centre de la pièce. Avec ce froid, la terre qu'il contient est dure comme de la pierre. Quelques coups de poings appuyés pour se réchauffer et il s'active, en boxeur d'expérience. Il s'arrête peu après avec agacement et retire les gants. Il veut ressentir la dureté du cuir rugueux. À poings nus, le vieil homme lance un coup puissant, sourit. La douleur est là ! En quelques minutes, ses articulations sont à vif. L'homme est satisfait. Assez pour ce matin. Il éteint ses lampes et retourne chez lui. Il s'habille chaudement, harnache ses chiens et se rend au village iroquois de *Longue Maison* où l'attendent ses vieux amis.

Chapitre 2

Un paysage figé, sans vie, semble-t-il. L'hiver s'installe. Les journées ne seront faites que de grisaille, au ras de l'horizon. Sur les terres arctiques, durant la saison froide, le soleil meurt aussitôt né.

Alentour, les montagnes dentellent l'horizon. Au centre, une vallée encombrée de collines. Une rivière ralentie par le gel se faufile entre les obstacles montueux. On entend parfois des arbres éclater sous la morsure du froid.

Et la vie… Un lièvre aux larges pattes en forme de raquettes sautille entre les troncs d'un bouquet de mélèzes, puis le chant d'un loup solitaire, répercuté d'une falaise à l'autre, ajoute sa note magique au décor.

L'hiver de l'année 1883 prépare son entrée sur les hautes terres de la baie d'Ungava, à l'extrême nord du Québec, à deux pas de l'Arctique.

Au bord d'un petit lac, un village de wigwams et de tipis. Il est cinq heures. L'air est immobile.

Une fumée légère coiffe quelques habitations. Dans un tipi en cuir d'orignal, le vieil homme paresse sous ses peaux d'ours. Autour de lui, le village s'éveille. Par intermittence, un long sanglot de loup traverse l'espace. Le loup ! Remarquable prédateur dont le vieux s'est fait le défenseur. Raison pour laquelle, au pays, on lui donne le nom inuit de l'animal : Amarok.

L'homme est en visite au village iroquois de *Longue Maison*, rassemblement d'une dizaine de familles iroquoises et crees établies à trois kilomètres de Grand-Bouleau, son village. Il tousse pour se dégager la gorge d'un excès de tabac. Il a beaucoup fumé cette nuit avec Okwari-Kowa, Grand-Ours, le Mohawk. Ensuite, trop fatigué pour retourner à sa cabane, Amarok a dormi dans la réserve où Grand-Ours conserve ses vivres. Autour du vieil homme, poissons et viandes séchés pendent sur des cordes comme des chauves-souris endormies. Cette image arrache au vieux un petit rire qui se termine en grimace de douleur. Son cœur ! Il rejette ses fourrures d'un pied rageur, se lève d'un bond.

Amarok, de son vrai nom Charles Philip MacIntosh, est un colosse d'un mètre quatre-vingt-dix à la carrure impressionnante. Né de mère iroquoise, il se veut autochtone avant tout. Amarok était chercheur d'or, mais le métal précieux se faisant rare, il est devenu trappeur par obligation. De cela, il a honte. À cinquante-neuf ans,

Amarok est une figure nordique légendaire. Cette année, pourtant, sa santé s'est détériorée.

Il vient au village des Premières Nations pour voir ses amis, certes, mais surtout, il trouve chez eux ces fameuses pipes de « tabac à rêves » qui lui font un peu oublier sa lancinante douleur cardiaque. Amarok enfile sa courte pelisse. Une pointe acérée lui traverse la poitrine. Ses mâchoires contractées dominent la souffrance.

Amarok bâille, lisse ses longues moustaches rousses de sa grosse main calleuse. Il est plutôt maigre, avec des muscles durs et noueux comme les racines d'un vieux chêne. Il attise les braises au centre du tipi, y ajoute quelques bûches, place un reste de soupe au cœur des flammes et une boîte de neige pour sa toilette.

Quarante-deux ans, cet hiver, qu'il mène une bande de chiens sauvages sur les pistes de l'arrière-pays ! Idéaliste, déçu par ses semblables, Amarok s'est éloigné d'eux pour se rapprocher des animaux. Désormais, il vit seul avec ses chiens.

Il fait sa toilette puis endosse une tenue doublée de fourrure d'écureuils. Amarok s'agenouille devant son déjeuner. Une grimace fugitive déforme ses traits. Les douleurs, ce matin, persistent au-delà du supportable. Un autre élancement dans la poitrine lui fait rejeter avec colère le plat de son repas. La sueur luit sur son visage. Des deux poings serrés, le colosse se frappe le haut du corps à grands coups.

— Tu veux bien me ficher la paix, maudit ?

Amarok s'abat sur sa couche et pousse un grognement de bête prise au piège. La température s'est adoucie. Poissons et viandes dégèlent. Une odeur de décomposition envahit la tente. Un bruit le fait sursauter, lance son cœur dans une suite de battements désordonnés.

Le panneau de cuir de l'entrée est rejeté par une main vigoureuse. La paroi du tipi claque comme une peau de tambour. Un jeune homme à bout de souffle vient d'entrer. C'est l'adolescent au fouet ! Le froid a bleui son visage et givré sa barbe naissante. Il se nomme Antoine, mais préfère le nom que lui donne le vieux : Akuna-Aki, *Entre-Deux-Peaux*, les mots inuits pour désigner les adolescents. Les gens l'abrègent en Akuna. Ses traits sont harmonieux, mais étrangement tourmentés. Quelles épreuves ont pu ainsi marquer ce jeune garçon ? Ses cheveux noirs, retenus par un bandeau frontal, cascadent à la façon des autochtones sur ses robustes épaules. Akuna est le seul véritable ami du vieux. L'adolescent hume l'air à petits coups, fait une moue ironique en regardant les poissons qui dégèlent.

— Hé ! T'aurais pas changé de parfum, par hasard ?

Les traits d'Amarok se détendent. Akuna est arrivé ! Akuna le rebelle, qui justifie chacune de ses folies par un rire, un mot du pays : *Agu-Tao-*

Gama-Lonin, « Moi, je suis un homme! » Akuna, c'est le fils que le vieux aurait aimé avoir, c'est l'amitié sans condition.

Akuna s'accroupit devant le chaudron de soupe, pique un morceau de viande à la pointe de son coutelas et le dépose sur une galette de *bannock,* du pain de maïs sans levure. La face bourrue du vieux se transforme, s'éclaire des détails paisibles qui naissent lorsque seuls les yeux sourient. Akuna, c'est sa fierté de coureur de pistes. En fait, il l'a quasiment élevé. Mais ce matin, le vieux préfèrerait savoir le jeune garçon à dix lieux de là. Trouvera-t-il l'énergie de suivre les impensables courses de son ami? Depuis quelques mois déjà, Amarok essaie de repousser sa vieillesse, une journée, puis une autre. Il triche. Ce sont les gens qui ont fait de lui une légende vivante. Devenu malgré lui le *Northlander* par excellence, il lutte depuis quarante-deux ans, afin de se maintenir en tête de la course infernale. Avec le temps, son orgueil est devenu démesuré. Mais avant, ah ça, avant...

Amarok se souvient de l'arrivée au village d'Antoine et de sa mère, Eleanor; un enfant de six ans, sans père, l'œil rempli de colère, d'une sorte de haine contre le monde entier. Par un pluvieux matin d'automne, Amarok avait décidé de s'occuper de lui, alors que l'enfant, seul, suivant son habitude, traînait ses sabots dans la boue d'un sentier de chèvres sauvages, bougonnant après tout et rien, après la vie. Amarok, de sa longue et méticuleuse observation de la faune nordique, avait acquis des connaissances aisément applicables à l'espèce humaine. À l'arrivée d'Antoine, il était prêt.

— Rapplique, petit gars, je vais t'enseigner ce pays, avait lancé le vieux d'un ton rauque, comme indifférent.

L'enfant avait été séduit par la rudesse même du vieux. Une approche plus délicate aurait trop ressemblé à de la pitié.

Les premières années s'était développée entre l'enfant et lui une affection profonde, de celle qui peut unir un père à son fils. Cela n'avait pas duré. À présent, le vieux donnait parfois l'impression de jalouser les nombreuses qualités d'Akuna. Le temps, impitoyable, a accompli son œuvre destructrice. Akuna le dépasse en tout! Les anciennes prouesses du vieux ne sont que jeux plaisants pour l'adolescent. Aujourd'hui, Amarok n'est plus motivé que par un orgueil tenace. Tenir son rang à tout prix. Akuna devient-il un obstacle sur la dernière piste de sa vie? Le vieux en arrivera-t-il un jour à le détester?

Akuna rote, rit, essuie ses lèvres grasses sur sa manche. Quel repas! Un plaisir qu'il se garde bien d'exprimer. L'adolescent a une pensée attendrie pour ce vieux compagnon au cœur rempli de toutes les émotions du monde, émotions parfois puériles, souvent contradictoires. Amarok est un homme bourru, superbe et agaçant. Sa bouche est plus souvent arrondie sur le mot grossier que le compliment, mais il est son ami, une manière de père adoptif; en fait c'est lui, Akuna, qui l'a adopté.

Du manche de sa cuiller de bois, le jeune homme repousse une mèche qui balaie sa paupière. Il regarde avec insistance les mains du vieux, ses grosses mains de boxeur aux jointures sanglantes.

— Y'avait du vent chez toi, Amarok. Le sac de terre se balançait encore.

Le vieux ne répond pas. Akuna voudrait quasiment le voir englué devant sa cheminée. Pourquoi ne pas le mettre à la broderie?

— La boxe, c'est plus de ton âge.

— L'âge n'a rien à voir. C'est une question d'intelligence. J'ai été le plus grand en descendant Bert Garrisson en douze minutes.

— Ouais, il y a quarante ans. L'actuel champion des Territoires du Nord est son fils, Codel, un colosse de vingt-trois ans.

— Cette année, le championnat se tiendra à Labrador City. Si tu m'aides à m'entraîner, je suis certain que…

— Tu veux que je prépare tes chiens?

Le vieux hausse une épaule. Prospecter cette mine d'or souterraine puis vérifier les pièges étirés sur dix kilomètres? Il ne tiendra jamais.

Akuna sort. Il partage une poche d'*ukraluk* — du saumon fumé — entre les trois chiens qui s'égosillent au bout de leurs bâtons. Il cingle du fouet les plus excités et les harnache au *komatik,* un traîneau superbe que le vieux a construit lui-même. Sous les coups, le hurlement des chiens redouble. Amarok se précipite, poings dressés vers Akuna. Celui-ci reste sans voix. Amarok et ses chiens !

Excités par la perspective d'une course, les malamutes mènent un tapage qui réjouit le Métis. La vapeur de leur haleine enveloppe le *komatik.* Le ciel, déchiqueté par endroits, ressemble à une fourrure d'ours au printemps. Du visage des deux hommes emmitouflés de peaux de bêtes, on ne distingue que l'éclat des yeux.

Amarok pose un pied sur la barre d'appui de son *komatik* et plante l'autre dans la neige afin d'assurer l'élan du départ. Il demeure immobile, ému par le paysage. Son fouet cingle l'air.

— *Mush-on!* mes beautés. Marche, Marak, file, Omikmak.

Le convoi s'ébranle. Le garçon n'a que le loup du forgeron, soixante kilos de muscles, assurément le plus bel animal de cette partie du monde, majestueux jusque dans sa crinière de lion.

Akuna rit en songeant aux bêtes du Métis. Marak, Omikmak, Aput : Renard Bleu, Bœuf musqué, Neige. Des noms certes très couleur locale, mais Amarok n'a pas respecté la tradition inuite voulant que l'on baptise le chien de trait du nom d'un parent disparu afin que son esprit revive à jamais. Le jeune garçon s'imagine appelant le loup *MacIntosh*.

Il frémit, réalisant que cela signifierait la mort du vieil ami. Alors Akuna serre les dents pour repousser l'angoissante éventualité. Que ferait-il sans le vieux?

Les deux compagnons s'engagent dans un bois de pins par une piste étroite. Au moindre frôlement, les branches hautes déversent leur fardeau de neige sur les attelages; mais ce chemin est plus court et, puisque ce matin Amarok est pressé, au diable les avalanches!

Ils ne sont en route que depuis une heure et, déjà, le vieux est à bout de souffle. Amarok et son compagnon relèvent les pièges et prospectent une crique environnée d'érables rabougris qui leur donne quelques onces d'or. La nuit venue, ils établissent leur bivouac sur place.

Akuna est satisfait. La récolte des peaux annonce un joli profit. Son air réjoui indispose le vieux qui affirme à son jeune ami qu'il devrait passer plus de temps à l'école. «Il faut plus de courage pour décrocher un diplôme scolaire que pour égorger une bête piégée».

Un désaccord qui, en plusieurs occasions, a vu les deux amis s'affronter à coups de grands jurons. Car, si pour l'un, «les études mèneraient Akuna plus loin qu'un tas de fourrures puantes», pour l'autre, «il faut bien que les animaux servent à quelque chose. » Les arguments d'Akuna mettent invariablement le vieux hors de lui.

Un coup de vent ramène Amarok à la réalité de l'instant : organiser le bivouac. Pendant qu'il s'occupe des chiens, Akuna dresse contre le vent un panneau de branchages et fait du feu. Les chiens nourris, Amarok réchauffe les restes de son déjeuner. Le garçon l'observe d'un œil agacé. Son vieil ami dépasse parfois les bornes. Avec sa faune, ses chiens et son respect de la nature, il ennuie tout le monde.

Il fait doux. Dans un pin bleu ronchonne un oiseau nocturne incommodé par la fumée. Autour des deux hommes, le cercle d'ombres se rapproche. La silhouette squelettique des érables s'étire jusqu'aux étoiles.

Les deux compagnons mangent vite, sans vain bavardage. Puis, Amarok bourre sa courte pipe. Akuna s'enroule dans une peau et s'allonge. Chinook force son museau sous la couverture. Au contact de la truffe humide sur sa joue, Akuna laisse échapper une prétendue mauvaise humeur.

— Te voilà mon gros baveux !

Un gémissement sourd lui répond. Le loup accentue son avantage. Le garçon s'endort, du plaisir plein la tête.

Akuna se réveille en sursaut au milieu de la nuit. Le feu agonise. Autour de lui, les ténèbres sont parcourues du sifflement lugubre des bourrasques.

Le jeune garçon est oppressé, inexplicablement. Son cœur bat en un rythme désordonné. Pourtant, sur la toundra, tout paraît normal, à moins que... Seigneur! Où est passé Chinook?

Autour du campement, une sensation de malaise imprègne jusqu'à la plus infime vibration de l'air. D'où lui vient cette crainte qui active le sang à ses tempes?

— Chinook!

Il chuchote pour ne pas réveiller le vieux. Soudain, Akuna dresse l'oreille. Dans la profondeur de la forêt, un son indéfinissable vient de naître. Il se développe, se fait presque palpable, avant d'éclater jusqu'à l'insoutenable, dans l'air glacé de la nuit. Akuna frissonne. Ne demeure que le silence, écrasant. Il dure peu. Un hurlement jaillit au loin. Cette fois, le jeune garçon reconnaît la voix grave de Chinook.

— Mais alors, avant, c'était quoi? Sacré loup! Qu'il la ferme. Je dois dormir. Demain, la journée ne sera pas facile avec le vieil orgueilleux qui tient à peine sur ses pattes!

Akuna s'apprête à replonger dans la chaleur de ses fourrures quand il voit le regard fixe d'Amarok posé sur lui. Un rayon de lune creuse les ombres de son visage, transforme celui-ci en un masque douloureux. Amarok détourne les yeux, scrute la nuit. Il siffle entre ses dents. Deux chiens émergent en s'ébrouant de leur trou de glace. D'un bond, Amarok se dresse devant la sombre forêt.

— Aput a filé. Faut la retrouver.

Sa voix chevrote, à la limite du sanglot. Le garçon étouffe un juron, crache par terre. Chercher au milieu d'une pareille noirceur, dans ce froid? Au diable Aput! Mais le vieux s'énerve. Il faut y aller. Et les voilà partis, lampe à bout de bras, dans une tempête hallucinante, cinglant leurs visages d'aiguillons glacés. Ils sont vite gelés. Akuna fait preuve d'une mauvaise volonté évidente. Malgré son agacement, le vieux n'ose le brusquer.

Une heure plus tard, à bout de résistance, ils n'ont toujours pas retrouvé la chienne ni aperçu le loup. Tout à coup, ils entendent son hurlement sinistre. C'est là! Chinook est assis au bord d'une crevasse. Le corps démembré d'Aput se trouve au fond. Il n'y a aucune trace de bataille autour de la dépouille. La chienne ne s'est même pas défendue. Seul un sillon profond court de la scène macabre jusqu'à l'orée du bois. Que s'est-il passé?

Près de là, immobile comme une souche, un animal étrange au corps massif observe les deux hommes de ses petits yeux cruels. Une rafale l'enveloppe; la bourrasque passe, emporte la vision. Un réchauffement nocturne de la température a saturé d'eau l'écorce des arbres. On entend craquer les troncs de tous côtés.

Les deux hommes retournent se coucher. Akuna s'endort aussitôt; quant au vieux, il pleure sa chienne.

Chapitre 3

Mince et attrayante dans une robe de coton blanc, elle n'a pas plus de trente-cinq ans. Son visage est éclairé d'un regard bleu qui accentue la joliesse de ses traits. C'est Eleanor, la mère d'Akuna.

Près de la fenêtre tendue d'un parchemin en estomac d'orignal, elle installe une table avec de la boisson et des biscuits. Trois voisines viennent jouer aux cartes. Sous sa fenêtre éclate une bataille de chiens. Quel pays terrible! Eleanor est en révolte perpétuelle contre sa triste condition de femme nordique. Elle a commencé sa rébellion à l'âge de huit ans, quand sa famille a quitté les montagnes du Colorado pour s'établir à Montréal, abandonnant le chien de la fillette sur une route de campagne. Pauvre petit! En souvenir de lui, elle ne pliera jamais plus devant ses parents. On peut être fille de pasteur et avoir son caractère. Elle s'était mariée à dix-huit ans. Une erreur tragique. L'homme buvait puis il la battait.

Oh non! Elle n'était pas née pour assassiner de malheureuses bêtes à fourrure, ni s'arracher les ongles dans les cailloux des torrents glacés. Elle avait eu ses rêves. Certains n'étaient pas morts.

Et voilà qu'avant-hier, en ramassant son bois, elle a vu rôder un animal effroyable, comme elle ne croyait pas qu'il puisse en exister. Une Bête deux fois plus grande que Chinook, avec des crocs longs comme son index. Des monstres rassemblés à cent pas d'elle, prêts à bondir, à la moindre défaillance de sa part. À présent, dès qu'elle va en forêt ou même au magasin, la peur ne la quitte plus. Elle tremble de tout son corps, regarde de tous côtés, écoute les moindres bruits que produit la toundra. Elle l'a dit à Antoine, mais il s'est moqué d'elle. Et l'imprudent qui aime justement chasser dans ce coin-là! Parfois, elle ne le revoit pas durant plusieurs jours. Il dort dans « sa » cabane, en pleine forêt.

Pressons, ces dames ne tarderont plus. Eleanor a pris du retard à cause d'un déplaisant travail matinal. Pour rendre service à Antoine, elle a fait la tournée d'une ligne de pièges. Détestable corvée, surtout quand le gibier pris est encore vivant et qu'elle doit le tuer au gourdin. Elle en a été incapable. Eleanor a libéré tous les animaux captifs qu'elle a trouvés. Antoine sera furieux.

Que lui importe! Cette existence nordique est parfois révoltante. Elle lui démolit autant l'esprit que le corps.

Eleanor voulait devenir pianiste. Elle jouait d'ailleurs assez bien. À présent, ses doigts sont crevassés et sa peau, noircie par le tannage, donne l'impression d'être toujours sale. Ses pauvres mains d'artiste...

Eleanor a confectionné des tartes aux raisins. Ce luxe lui coûte une peau de renard argenté. La vie d'une bête contre deux tasses de farine. Étrange manière de vivre. Une odeur de sucre caramélisé emplit la pièce, atténuant un peu l'écœurante senteur des peaux de bêtes sanglantes qui gouttent ici et là. Clarisse, la femme du bûcheron, arrive en avance, selon son habitude. Puis c'est Edith, l'institutrice.

À ce moment se présente une Iroquoise à la beauté délicate. Elle se nomme Kanaraten-Tha, *Celle qui fait pousser les feuilles*, l'épouse d'Albert, une autochtone rotik-waho, du clan des Loups.

— Ces huskies me font tourner les sangs, se lamente-t-elle.

Eleanor sert le café, l'Iroquoise coupe la tarte et Clarisse allume un petit cigare. Une fumée sucrée les enveloppe. Edith bourre une pipe inuite au long tuyau de roseau et distribue les cartes.

La bande de chiens repasse en hurlant. Ils sont quasiment retournés à l'état sauvage. Organisés en meutes, ils se livrent des combats sans merci. Il arrive même qu'ils se mangent entre eux.

Clarisse s'inquiète. Et s'ils se retournaient contre les gens ?

— Une pointe de tarte, Edith ? demande Eleanor.

Chapitre 4

Les visiteuses sont parties. Antoine est là. Antoine ! Les autres disent Akuna. Eleanor pleure près du foyer. Les larmes brouillent sa vue, mais elle s'acharne sur sa couture. Antoine est rentré, le visage ensanglanté, après une course en *komatik* à travers bois, « juste pour voir comment Chinook mènerait son affaire ». Catastrophée, elle avait voulu soigner les coupures. Il s'était indigné avec des mots de bravade.

Eleanor est dépassée dans son rôle de mère. Il y a si longtemps qu'elle ne comprend plus cet adolescent farouche. En cette minute, son unique désir est pourtant bien modeste : caresser les cheveux de son fils. Akuna, hélas, repousse ses moindres gestes d'affection, les qualifie d'enfantillages. Mais ce garçon révolté, depuis trois hivers déjà, garnit leur table de sa chasse. C'est à elle de dire merci.

Se battre, contre les hommes, les bêtes, la nature insensée de ce terrible pays, semble l'unique souci d'Antoine. « Je suis fait de glace et de pattes d'ours griffues. Donne-les aux chiens, tes gâteaux à la mélasse de bouleau », lui a-t-il lancé un jour. Eleanor pleure. Antoine ne tolère vraiment qu'Amarok et le vieux paraît seul capable de le raisonner un peu. Ils se valent tous les deux, solitaires, indomptables, taillés dans la même souche. Chacun d'eux dissimule ses véritables émotions, excepté envers les chiens. Amarok les aime. Antoine ne fait que les utiliser, parce qu'il en a besoin.

Le passé tourmente-t-il encore son fils ? Quand le drame de son père s'est produit, il avait six ans. Quelle épreuve avait dû être la sienne ! Depuis, il refuse de se libérer du mal par le dialogue. Sa peine doit être lourde à porter.

Près de la fenêtre, Akuna s'affaire à la confection de mocassins. Il mâche le cuir afin de l'assouplir, observant sa mère du coin de l'œil. Le garçon passe un doigt sur les coupures de son visage. Il a choisi cette souffrance pour s'endurcir. On n'avoue pas cela à sa mère. Sur la table de cuisine, malgré les restrictions, se trouve un dessert à l'irrésistible parfum. Rien à faire ! Elle ne l'attendrira pas avec sa misérable tarte au sucre.

Pauvre maman qui semble immanquablement faire les choses à contre-sens. Quand il était petit, elle le forçait à boire de l'huile de phoque à l'odeur de pourriture qui, soi-disant, fortifiait ses os. Il voulait un manteau de bête, elle taillait du drap. Il disait « ours », elle répliquait « lapin ». Eleanor rejetait tout ce qu'il aimait. Parfois, il la détestait. Depuis son retour d'équipée, ils n'ont pas échangé trois mots. C'est aussi bien.

Akuna se souvient d'un jour d'hiver, l'année de ses dix ans, où il avait campé seul en plein cœur d'une forêt fréquentée par les ours. Il n'avait emporté qu'un vieux fusil piqué par la rouille. Résultat : une épaule démise au premier coup de feu. Il tint soixante-douze heures, sans manger, transi de froid, dans une ancienne tanière de loups, apprivoisant sa douleur avec la hargne et la patience d'un dresseur de chiens. On l'avait retrouvé là, en piteux état. Il avait dû rester une semaine alité. « Après tout, se faire enlever trois orteils n'est pas si tragique. Quand ils sont bien gelés, on ne sent rien ! » avait-il eu le cran de fanfaronner sous le bistouri du vétérinaire. On ne peut demander à une mère d'approuver ce genre de bravoure. Quant à la randonnée de ce matin, Eleanor n'y a évidemment rien compris. Akuna a décidé que Chinook baissera la queue devant lui. En effet, le satané loup se pavane, son gros panache rouge brandi à la verticale, affirmant ainsi qu'il est le meneur de meute. Il s'imagine dans la peau d'un loup alpha ! Mais il va se la coller au ventre, sa détestable queue, tout comme les bêtes de rang inférieur devant le meneur de meute, car le meneur, c'est lui, Akuna.

Bien qu'élevé au biberon par Kanaraten-Tha, Chinook, jeune adulte de trois ans, est resté presque totalement sauvage. Et si devant l'homme il conserve sa timidité de loup, face aux chiens, il devient infernal, imposant sa domination aux huskies de toute la région. Pour Akuna, ce loup rebelle représente un réel défi à son habileté de dresseur. Il l'emprunte souvent à son propriétaire dans le seul but de « briser sa maudite arrogance ». Mais pour dire les choses sans détour, il veut réussir là où Amarok lui-même a échoué.

Son équipée matinale ? Superbe, voyons ! Dans les ronces, l'arrogant Chinook s'est déchiré une babine jusqu'aux molaires. Il souffre. La maudite tête de bois est-elle enfin matée ? Hé bien non ! Il porte haut sa queue. Chinook domine toujours.

Akuna détaille sa mère. Jamais cette brave fille de pasteur ne saisira toutes ces finesses nordiques qui font les hommes. Eleanor sent le regard de son fils posé sur elle.

— Antoine, si tu voulais...

— Devenir cordonnier dans le magasin de ton oncle, moi ?

Eleanor croise son regard, puis se détourne, incapable d'en soutenir l'éclat. Elle est pitoyable. La panique gagne Akuna qui éprouve pour sa mère un élan d'embarrassante tendresse. Il sort, Chinook sur les talons. Soudain, l'adolescent frémit. La queue, là, elle est... à moins que... Ah ! Cette queue !

Chapitre 5

En plein cœur d'un décor sauvage se blottit le village de Grand-Bouleau. Une trentaine de personnes y résident. Vingt-trois cabanes, un magasin et des entrepôts se font face sur deux rangées, formant une rue centrale. La plupart sont en rondins ; leurs toits couverts de terre fleurissent au printemps.

Le magasin général, avec son toit plat et ses deux balcons, est l'unique tentative de modernisme du village. Il est en planches, peinturluré comme un masque de guerre indigène. Avec le temps, les murs se sont déformés et le vent pénètre à l'intérieur.

Afin de contrer le froid, le tenancier y entretient un poêle à bois dont la chaleur infernale rend l'air presque irrespirable ; mais c'est la seule boutique à deux cents kilomètres à la ronde. Si les gens veulent boire et s'amuser, aucun autre choix ne leur est offert.

Barton, le propriétaire, un gros homme d'une quarantaine d'années, domine son univers, comme une araignée sur sa toile. Ses colères magistrales et son racisme envers les autochtones font qu'il n'est pas très apprécié de ses concitoyens.

Six heures. Le bar ouvre. Barton est déjà ivre. Il allume lampes et bougies. « À présent, le soleil peut se lever, se coucher ou aller au diable. Le bar est prêt ! ».

Barton peste tout haut contre la température et se serre frileusement dans son manteau en laine de chien. Eleanor vient d'arriver. Elle sert au comptoir depuis le début de l'hiver.

Un courant d'air glacial cingle Barton au visage. Deux hommes entrent, vêtus de peaux grossièrement taillées. Ce sont Albert et Seka-Kinyan, son fils adoptif, un athlétique autochtone cree de vingt-sept ans. Après un vague salut, ils s'installent devant le poêle, sur des caisses clouées au plancher. Sans un mot, Barton leur présente une bouteille et des verres.

Un autre client passe la porte. Barton le détaille complaisamment. C'est Meungen, son seul ami. Il est l'époux d'Edith, l'institutrice. Leur fille, Annabelle, a seize ans. Barton lui tend un gobelet de café.

— Crénom ! c'est pas mal frisquet ce matin, lâche Meungen.

Ils se sourient et, d'un même mouvement, hochent la tête. Le premier boit, le second va fouiller dans sa réserve avec des rires. Entre ces deux hommes, si opposés d'allure et de langage, existe une amitié vraie, de celle qu'on n'explique pas. Le pays façonne les caractères sur un même modèle. Tout le monde ici se ressemble un peu. Bientôt, ils seront vingt, hommes et femmes de toutes nations, Rouges et Blancs, parlant haut, riant et gesticulant. La bouteille d'hutsnuwu, une boisson indigène *puissante comme l'ours grizzly,* passe de mains en mains. Chacun essaie d'oublier la menace qui pèse sur la communauté.

— Sacrebleu, j'offre un verre! lance Barton.

Du jamais vu! Il faut reconnaître qu'en ce moment les affaires marchent mal. Le magasin général est quasiment vide, la famine s'installe et, comme la bête à fourrure se fait rare, l'or ne circule plus. Quant au gibier, il est inexistant. Les prédateurs monstrueux y sont sûrement pour quelque chose, sans compter les chiens errants. Les réserves de nourriture s'épuisent. Que sont devenus les hommes qui se sont rendus au ravitaillement à Fort George?

La porte... Chinook s'encadre en grondant dans le rectangle qu'elle découpe sur la pénombre matinale. La bête entre. Une rafale de neige précède deux hommes, éteint des chandelles, plongeant le bar dans la noirceur. Quelques clients rallument les lampes. Les arrivants approchent du comptoir d'un pas traînant, ôtent bonnets et passe-montagnes. Ce sont Amarok et Akuna!

Le vieux s'accoude au bar, immense et magnifique, avec ses longs cheveux nattés et son rude visage bruni par d'innombrables soleils arctiques. Il détaille Eleanor sans dissimuler son plaisir. On lui présente une bouteille. Il la repousse. Dans sa poitrine le mal persiste. Akuna est furieux de voir sa mère derrière le bar. Il dirige sa colère sur Chinook, lui envoie une claque sur le museau. La «fille du pasteur» sur les lieux, il ne pourra pas s'amuser. Amarok met la main sur son épaule.

— Dans la vie, mon gars...

Akuna se dégage avec brusquerie.

— Si tu veux discutailler, raconte que tu m'as fait cavaler en pleine nuit, à la recherche d'un fantôme.

Autour d'Amarok, le bruit cesse. Voilà une histoire!

— Amarok, c'est quoi, cette affaire? questionne Albert.

Amarok leur a tout conté: la triste fin d'Aput et les traces énormes retrouvées au matin, et il conclut:

— Je dirais que l'animal a la grosseur de l'ours noir et une forme de loup. Une sorte de loup-ours, quoi!

Personne ne songe à rire. Les gens ont d'ailleurs trouvé des empreintes phénoménales dans toute la région. Durant la nuit, ces animaux diaboliques s'aventurent même jusque dans le village

— C'était Chinook, intervient Akuna. Amarok, tu deviens gâteux!

— Antoine! s'écrie sa mère, tu déraisonnes.

Amarok sourit à la jeune femme, mais le cœur n'y est pas. Les mots d'Akuna viennent de faire très mal. Dans sa tête, la terrible phrase provoque des ravages. Akuna a du mal à contrôler sa joie. Il a osé défier en public ces deux êtres bornés, attachés à leur courte vue de l'existence.

L'arrivée de l'institutrice, portant une tarte aux raisins, crée une heureuse diversion. Annabelle, sa fille, une adolescente plutôt jolie, l'accompagne. Elle pose un regard appuyé sur Akuna. Il l'ignore. Celui-ci fait d'un coup d'œil le tour de la salle. Le vieux a filé!

Barton sort une bouteille, les verres tintent. Un homme ivre se met à chanter. On lui crie de la fermer. Il répond par un juron. Une bagarre injustifiée éclate entre deux bons copains.

Amarok est chez lui, au bord de la colère, plus près encore des larmes. Il se rend dans sa réserve et cogne sur son sac de terre, sans gant. Un mot terrible accompagne son effort: « Maudit! »

Chapitre 6

Huit heures. Akuna a dormi dans sa cabane, une masure abandonnée, à l'ouest du village. Cette indépendance le remplit d'orgueil. Tout lui est prétexte pour s'enfermer avec le loup dans la bicoque dont les rondins disjoints laissent entrer vent et neige par dix ouvertures. Dedans, il fait à peine moins froid que dehors.

Chinook pleurniche devant la porte. Akuna attache ses raquettes au sac à dos, enfile son parka d'orignal, empoigne sa carabine et sort.

Le ciel pâle est clairsemé d'étoiles. Quatre chiens eskimos d'un autre attelage dorment près du *komatik* d'Akuna. Une intrusion que Chinook ne tolère pas. Il montre les crocs. La bande de chiens, aiguillonnée par la peur, se jette sur le loup. Akuna s'adosse à la cabane pour un spectacle devenu banal tant la fin est prévisible. Quelques rapides morsures et les chiens inuits s'enfuient dans toutes les directions. Pauvre

Chinook ! Au sein d'une meute, il n'aurait jamais à se battre ; les loups font respecter leur hiérarchie sans violence. Au village, il défend sa vie trois fois par jour et, pourtant, c'est lui que tout le monde accuse d'être agressif.

Akuna se met en route, tirant le traîneau lui-même. Chinook gambade devant, sa queue touffue majestueusement dressée. Il est un loup alpha, une bête de rang supérieur, et ne manque aucune occasion de le rappeler. Amarok les rejoint à mi-chemin du village iroquois. L'excès de boisson met dans ses yeux une sorte de mélancolie.

— Un café serait meilleur pour toi que cette saleté d'alcool.

À plusieurs reprises, l'adolescent a surpris le vieux se frappant la poitrine à coups de poing.

Amarok propose de l'accompagner. Akuna est furieux. L'air abattu de son vieil ami se passe de mots. Dans son état, il n'ira pas loin. L'adolescent retient une réplique cinglante. L'incroyable vieillard ne cherche qu'à étonner les gens avec des exploits d'un autre temps. Au train où ce vieux fou mène sa vie, il peut mourir d'un seul coup. Les yeux d'Akuna se remplissent de larmes. Il deviendrait quoi si Amarok disparaissait ?

Akuna entend les bouteilles qui s'entrechoquent dans le sac à dos du vieil homme. Difficile journée en perspective.

— Alors, où vas-tu ?

— Plus loin, bah! tu sais.

Amarok perçoit la réticence d'Akuna.

«Vieux casse-pieds», se dit le jeune homme en s'éloignant d'un pas rapide. Quelques minutes à ce train vif anéantissent Amarok. Un son caverneux s'échappe de sa gorge. Alors, incroyablement, l'adolescent accélère son allure. En lui, c'est un mélange de plaisir et de pitié, d'amour et de haine. Il pourrait dire au vieux «mon pauvre Amarok» ou «va au diable» avec la même facilité.

— Ralentis, j'ai... un mocassin plein de neige, ânonne Amarok.

Akuna jette un coup d'œil par-dessus son épaule. Ce qu'il attend depuis toujours se produit enfin. Amarok lui demande de ralentir son pas, à lui, Akuna. L'adolescent détourne la tête afin de ne pas humilier son compagnon davantage. La joie fait trembler ses lèvres sur un sourire difficile à dissimuler. Mais Amarok a compris. Il a envie de hurler.

Ils arrivent à leur mine d'or bien après la brève apparition du soleil. Chinook prend sa course vers les collines avec un bref hurlement. La récolte de peaux est généreuse. Dommage qu'il faille laisser la viande pourrir sur place. Après tout, le sport du trappeur ne vise que les peaux. La réaction d'Amarok à cette attitude dépasse les espérances d'Akuna. En dépit de sa fatigue, Amarok lui sert sa critique favorite.

— Faut respecter la faune. Une bête, c'est pas juste de la fourrure, c'est la vie… La bête... Seigneur !

Akuna éclate de rire.

— Amarok, tu es impayable. Ouvrir la gorge d'une hermine avec respect, t'as déjà vu ça ? Cher gibier, je t'écorche par amour... des manteaux de fourrure. Mais là, franchement, t'as rien à dire.

Moqueur, Akuna fixe le parka du vieux. Amarok se trouble. Sa peau d'ours sur le dos, que peut-il ajouter ? Amarok songe avec dégoût aux massacres du loup en Alaska et au Yukon. Ces nouveau-nés, la tête écrasée sous la botte, ces loups adultes piégés, qui se couchent sur le dos devant leur bourreau, ventre offert, tels des chiens soumis. Ceux qui osent nommer chasse et piégeage des sports sont des malades mentaux. Amarok plante là le jeune garçon et pénètre dans la mine. « Sale tête d'Écossais », peste l'adolescent en le suivant. Amarok entend la neige crisser derrière lui. Il serre les dents, partagé entre le rire et les pleurs. Plus tard, ils installent leur camp. Amarok retourne dans la galerie souterraine. Vite découragé, il rejoint Akuna. Le froid vif les saisit. Amarok sort une bouteille. L'œil brillant, Akuna tend son gobelet plein de café, y reçoit une rasade de whisky. Le liquide arrache l'intérieur de sa gorge comme un poisson plein d'arêtes. *Agu-Tao-Gama-Lonin !* Après tout, il est un homme.

Trois cafés plus tard, l'adolescent a oublié ses bonnes résolutions matinales. S'esclaffant pour des riens, les deux compagnons fouillent sans conviction l'amas de graviers accumulés au fond de la galerie. Mais l'air ce matin coupe la figure! Les deux amis se réfugient souvent auprès du feu, avalant des cafés de plus en plus généreusement arrosés d'alcool. Ils s'amusent comme cela ne leur était encore jamais arrivé. Pour la première fois tombent ces réticences qui les opposent depuis toujours. Le vieux et l'adolescent extériorisent enfin leurs véritables sentiments.

Ils s'installent devant le feu, le dos appuyé contre un arbre. Sans avoir prononcé le moindre mot, Amarok et Akuna viennent de s'avouer des vérités qui, pendant longtemps, rendront inutiles bien des conversations.

— Dire qu'il y a des gens qui... trouvent de l'or aussi facilement que ça, bégaye le jeune homme en soulevant devant lui une poignée de mousse. Il en extrait une pierre grosse comme le poing. Par un jeu de physionomie, Akuna prétend que c'est une pépite.

— Alors ils nettoient leur... trou... trouvaille, la frottent sur le pantalon... Pis ils disent... « Oh, maman! »

— Ils disent « Oh maman! »?

Amarok saisit la pierre, la débarrasse de son enveloppe boueuse, puis lâche un petit rire. Quelle pépite!

Akuna, avec un air malicieux, reprend le bloc d'or, le détaille.

— Il y a bien dix onces, non? À dix-huit dollars l'once, ça nous donne cent soixante dollars.

— Plutôt… cent quatre-vingts, rectifie le vieux.

— Alors, on travaille pour presque rien.

Et, du geste le plus naturel qui soit, Akuna jette par-dessus son épaule la pépite qui va se perdre dans les broussailles. Ceci fait, il s'allonge et ferme les yeux.

— C'qu'on peut rigoler ensem...ble… mais entre nous…tu… tu devrais annuler ton prochain combat. La boxe... plus d'ton âge...

Akuna s'endort sous le regard attendri d'Amarok.

Chapitre 7

Six heures. Eleanor ouvre le bar. Barton fait la grasse matinée. Edith, l'institutrice, arrive vers neuf heures. Elle organise son « école », un étroit local encombré de caisses et de peaux humides de sang qui dégagent une légère senteur de pourriture. Au centre de la pièce, un bidon d'huile converti en poêle à bois, laisse échapper une fumée bleue qui alourdit l'air davantage.

D'un coffre d'érable, Edith extrait vingt-sept manuels scolaires reliés en peau qu'elle a fait venir exprès d'Ottawa, l'été dernier. Ses livres! Dieu qu'elle les soigne. Et déjà, il lui en manque un.

Noami, la fille d'Albert, vient d'arriver. Elle prend place derrière le poêle. C'est une jolie jeune fille de dix-sept ans bien proportionnée. Un teint cuivré et des pommettes hautes témoignent de ses origines iroquoises. Ce n'est pas le désir d'apprendre qui l'attire en ces lieux, mais la présence d'Akuna. Les deux adolescents s'aiment tendrement. Akuna rejoint son amie peu après. Leurs yeux se croisent. Ils rougissent à l'unisson. Entre les sièges, leurs doigts s'emmêlent, faisant vibrer les jeunes gens d'un même émoi. C'est jour d'école, jour de leur affection. Une clochette d'airain tire Akuna de ses rêves. Lecture!

La nausée retourne son estomac. Chaque fois que vient son tour de lire, les moqueries jaillissent de toutes parts. À quoi bon apprendre? Quand on passe sa vie derrière le cul touffu d'un malamute, les paroles écrites ne valent même pas une peau de saumon.

Maudits bouquins! L'institutrice dit que leur reliure en mouton s'appelle du «plein chagrin». Un terme bien choisi. Elle en fait une tête depuis qu'il lui en manque un. Akuna doit reconnaître que ce genre de couverture brûle sacrément bien.

La tiédeur de l'air enveloppe Akuna d'un cocon sécurisant. Le métal rougeoyant du poêle produit une aura mouvante qui le fascine. Il cligne des yeux, échappe doucement à la détestable atmosphère. Akuna n'a qu'une envie, aller harnacher Chinook et le faire courir jusqu'à épuisement total. Qu'il se la colle au ventre, sa maudite queue rouge!

Son désarroi n'échappe pas à Noami. Elle amène la main de son ami contre sa joue, indifférente aux regards amusés que déclenche ce geste. Un élève est en train de lire lorsqu'Amarok s'installe au bar. Il retire sa peau d'ours en ronchonnant.

Fataliste, Edith ferme son livre. La classe au complet l'imite en riant. Pour une fois, le vieux parle sans détour.

— À deux kilomètres, au nord, j'ai découvert les dépouilles de trois chiens. Ça en fait cinq qui se font égorger en moins d'une semaine. Autour, y'avait les fameuses empreintes. Cette Bête meurtrière n'appartient pas au Nord que nous connaissons.

La présence du monstre se précise, de plus en plus effrayante. Dans les yeux des villageois s'affiche une anxiété pathétique. Pour Albert, régler le problème est simple. Il suffit d'enfermer les chiens dans la remise aux *komatiks.*

Sa proposition fait l'unanimité. Akuna s'en amuse. La situation tourne au ridicule, tout cela parce que ce vieux bavard d'Amarok impose ses doutes, ses idées dès qu'il ouvre la bouche. Et les autres ignorants gobent ses paroles, comme une bande d'ouaouarons. Les huskies entassés au même endroit vont se massacrer entre eux. Sans compter que le chenil sera directement devant la chambre de Barton! Trop saoul pour comprendre, le gros homme ne dit rien.

Akuna a pour sa mère un regard chargé d'animosité. Le bar n'est pas une affaire de femmes, Amarok le dit. La voir heureuse le scandalise. Dans la forêt éclatent des hurlements aigus. Les Bêtes marquent leur territoire pour la nuit. Elles se sont encore rapprochées du village. La terreur s'installe.

Furieux, Akuna sort sans fermer la porte, des chandelles sont soufflées. Une volée d'injures suit l'adolescent.

Vers six heures, chacun rentre chez soi. La nuit tombe vite.

En quittant le bar, Amarok décide de rendre visite à ses amis Grand-Ours et Vieux-Mocassins, à Longue Maison. Devant lui, une petite course de trois kilomètres. Hélas, dans sa poitrine, le cœur se débat douloureusement. Le vieux harnache ses malamutes, lui qui l'hiver dernier couvrait encore la distance à petites foulées afin de travailler son souffle avant ses combats.

Il prend la route du retour vers six heures du matin. Il fait froid. La tempête fait rage. Progresser à travers ces bourrasques ne sera pas une tâche aisée, mais Amarok possède le meilleur *kimuksit* de chiens sauvages du pays, à quoi bon s'en faire. Le vieux est heureux. Les herbes à rêves et l'alcool lui mettent au corps une formidable énergie.

Il s'engage dans la vallée séparant les deux villages, à l'intérieur d'un bois tout en longueur. Au-dessus de lui, mariant leurs parfums d'hiver, épinettes et sapins tissent un sombre couloir que les cinq chiens, malgré l'attelage en ligne, suivent avec difficulté. Dans le but d'alléger leur tâche, Amarok court à l'arrière. L'haleine des animaux forme un brouillard qui s'effiloche sur les gestes de l'homme. Le train est vif, l'air siffle à ses oreilles. Parfois, des branches basses lui cinglent le sommet du crâne. Il en rit aux éclats. Conserver sa jeunesse n'est rien d'autre qu'une forme d'insouciance. Il faut simplement prétendre qu'on la possède toujours.

Le raclement produit par les griffes des chiens sur la glace lui fait réaliser une chose qui l'emplit de fureur contre lui-même. Il a négligé de leur mettre des mocassins à crampons. Les malheureux vont se déchirer les pattes jusqu'à l'os sur la glace coupante. La contrariété d'Amarok est à ce point intense que son organisme se vide d'un seul coup de sa réserve d'énergie. L'effet de l'alcool et du tabac combinés est désastreux. Amarok frissonne, sa vue se trouble, son cœur prend un rythme plus rapide, ses membres s'alourdissent. Il saute sur la barre du *komatik*. Se laisser traîner, lui !

Kiloui, la chienne de tête, ralentit. Elle a dû être surprise qu'il remonte sur le traîneau, conclut Amarok. Il l'encourage d'un cri. En vain. Kiloui est désemparée. Elle va au pas, l'oreille tendue, hume l'air à petits coups. L'anxiété gagne tous les chiens. L'appréhension s'empare d'Amarok. Il y a « quelque chose », devant, à droite, partout... Seigneur ! murmure le vieux. Un frisson glace sa nuque. Le troisième chien refuse d'avancer ; le voilà entraîné, roulé en tous sens, son ventre racle les aspérités aiguës de la piste qu'il souille d'une traînée sanglante.

Kiloui s'arrête. Les chiens s'emmêlent dans leurs courroies en une confusion totale. Amarok doit déployer tous ses talents pour remettre l'attelage sur la piste. Ils n'ont pas fait trois pas qu'un rayon de lune se faufile jusqu'au sol comme un doigt. Et là, au bout de cette clarté mouvante, à longueur de bras, semble-t-il, Amarok aperçoit l'immense silhouette d'un loup-ours. La Bête est dressée sur le chemin, entrant et sortant de l'ombre, suivant la fantaisie des branches agitées par le vent. Une Bête massive, plus impressionnante dans la noirceur qui atténue les contours de son corps.

Dieu du ciel! Fous de terreur, les huskies se pressent autour d'Amarok. Le vieux se signe. Son souffle est saccadé. Une douleur vive serre sa poitrine. Il ne sait plus que penser, lui, l'homme de toutes les situations, de tous les combats. Malamutes et huskies se ramassent, prêts à l'attaque ou à la fuite, le vieux ne saurait le dire.

Un nuage obscurcit l'éclat de la lune. Quand la clarté revient, la Bête a disparu. Amarok vacille. Il s'appuie sur la caisse du *komatik,* respire doucement. Les chiens ne réagissent plus.

— Bon sang, quelle affai...

L'horreur cloue la phrase sur ses lèvres. La Bête vient de bondir, le saut stupéfiant d'un monstre vomi par les ténèbres.

La petite Kiloui fait courageusement face. Tout va très vite. Son dernier cri s'éteint sous une mâchoire énorme. Effaré, Amarok n'a pas eu le temps de faire le moindre geste. Seule la mort de Kiloui lui fait recouvrer ses esprits. Un sanglot dans la gorge, il s'élance, saisit la Bête à bras-le-corps. Dressée sur ses pattes, elle est aussi grande qu'Amarok. Une masse de poils hirsutes, toute en griffes, toute en crocs, ni ours, ni loup. Jamais la vie d'Amarok ne fut à ce point menacée. Unis par la peur, ses chiens attaquent d'un même élan, s'accrochent au dos et aux pattes de la Bête, y enfouissent leurs puissantes mâchoires. Mais l'adversaire n'en paraît pas le moins du monde incommodé tant sa toison est épaisse. Leur action, néanmoins, écarte l'animal fantastique d'Amarok. Profitant de l'accalmie, le vieux court au *komatik.* La carabine, vite! Il tire. La culasse se bloque au second coup. A-t-il au moins touché la Bête dans cette confusion? Amarok empoigne l'arme par le canon et s'apprête au corps à corps, lorsque tout s'arrête. Sans quitter l'ennemi du regard, deux malamutes reculent, un troisième se convulse aux pieds de la Bête qui lèche ses babines sanglantes. Le décor se fige. Les chiens se plaquent au sol, trop effrayés pour réagir. C'est alors que les buissons s'écartent lentement, livrant passage à six Bêtes. Dos creux, poitrine basse, elles traversent la piste à vingt pas d'Amarok. L'infortuné chien vit toujours lorsque les Bêtes le démembrent.

La pâleur de l'aube met la scène en relief. C'est fini. Il ne reste rien des chiens morts. Les Bêtes sont immobiles. On les dirait sculptées à même la pénombre. Et Amarok le vieux fait ici ce qu'aurait accompli Amarok le jeune durant ses plus sublimes folies.

Carabine à bout de bras, ses derniers chiens pressés contre ses jambes, Amarok pénètre au cœur de la meute redoutable. Et surgit un nouvel adversaire, plus massif, plus vigoureux encore que les autres. Le vieil homme pousse un hurlement. Mais le souffle qui franchit sa bouche ne porte pas les sons de la peur. C'est son cri iroquois, troublant comme un hymne. Le grand fauve se précipite dans la mêlée, lorsque soudain... Le vieux ne peut pas en croire ses yeux. C'est Chinook!

Par quel miracle? Pourtant... la présence du loup peut signifier... L'horrible doute se confirme. Amarok perçoit une voix lointaine qui appelle le loup. Akuna!

Amarok lance un avertissement désespéré. Pour l'adolescent, le cri prend le ton d'un appel de détresse. Sans hésiter, il se précipite. Et il est au côté de son vieil ami, sa hache de bûcheron en main. La fourrure de Chinook semble un trait de feu embrasant la furieuse mêlée grise. Le grand loup est partout à la fois. Égorgeant des Bêtes, protégeant les hommes. Avec une aisance déconcertante, Chinook fait simultanément front à trois adversaires. Akuna et le vieux luttent côte à côte. Une ardeur folle les anime, un hurlement identique jaillit de leurs gorges. L'adolescent et le vieux se battent pour vaincre, bien sûr, mais aussi, afin que s'inscrive dans une histoire nordique l'action fantastique de deux hommes unis par une semblable affection.

La meute les cerne. Les hommes luttent comme des furies. Cela peut-il suffire? La carabine et la hache tournoient au bout de leur bras, fracassent des crânes, brisent des pattes et des mâchoires. Enfin, leurs efforts semblent porter fruit: les Bêtes hésitent, reculent. Hélas! Un nouveau groupe de Bêtes sort du bois. La situation devient intenable, sans issue. Les voilà éreintés! Le cœur d'Amarok se lance dans une course folle qui lui projette des éclats rouges devant les yeux. Il va tomber... Une Bête se lève devant lui, projette deux pattes sur ses épaules, approche une gueule monstrueuse de sa gorge. Il lance son avant-bras. Les crocs s'y enfoncent. Et la Bête glisse devant lui, la gorge tranchée par Akuna. Déjà, autour des deux combattants gisent quatre Bêtes. Et le vieux réalise toute la folie de leur geste. Ces Bêtes sont des hybrides, pareils à lui. Elles se battent pour survivre en un monde impitoyable. Et lui qui ose leur refuser ce droit sacré à la vie!

Subitement, sans raison apparente, les Bêtes se dispersent. Chinook vient d'abattre le meneur de la bande. Rompus de fatigue, hébétés, Amarok et Akuna se regardent sans un mot. Toute parole serait bavardage.

Couché parmi des Bêtes mortes et agonisantes, Chinook lèche ses plaies innombrables. Akuna s'agenouille devant le bel animal, prend sa tête entre ses mains et embrasse doucement la truffe palpitante.

— Gros gentil!

Un bruit de gorge lui répond, à ce point modulé que l'on jurerait un mot. Akuna serre le loup contre sa poitrine et s'abandonne à son émotion. Les larmes sillonnent ses joues râpeuses d'une barbe naissante. Amarok ne sait comment exprimer sa reconnaissance à son compagnon. Il est désemparé. Après ce carnage, a-t-il encore le droit de clamer son amour du Nord et de ses créatures? Il mord l'intérieur de ses joues pour ne pas sangloter. Il a perdu tous ses chiens!

Le récit que les deux amis feront de cette rencontre meurtrière mettra au cœur des villageois une terreur sans nom. Akuna, lui, voit les choses différemment. Ces Bêtes lui offrent l'occasion rêvée de se faire un nom.

Chapitre 8

Akuna et sa mère reviennent de Longue Maison. Quelques corbeaux géants les suivent en jacassant. Une neige légère fait vibrer le paysage. L'air est doux.

En chemin, ils rencontrent les deux fillettes de Vieux-Mocassins qui se rendent chez Edith. Voir les enfants seules en forêt, sachant le danger qui rôde, bouleverse Eleanor. Elle leur demande de rentrer chez elles. Pour les petites, cela signifierait être privées du pouding « au sucre d'arbres » que prépare toujours Edith à l'occasion de leurs visites. Les voilà fuyant à travers bois, légères comme des biches. Rien à faire pour les rattraper. Eleanor s'affole. Et si des Bêtes rôdaient ! Son fils la rassure avec un rire bref.

— Pas après la correction qu'on leur a servie, Amarok et moi !

Dès son arrivée à Grand-Bouleau, Eleanor se rend chez Edith. Pas d'enfants ! Hâtivement, les deux amies visitent toutes les maisons de Grand-Bouleau. Les fillettes demeurent introuvables. Elles n'ont pas atteint le village!

Ne rencontrant personne susceptible de lui venir en aide, Eleanor rentre chez elle, saisit la vieille carabine d'Akuna, empoche une poignée de cartouches et part à la recherche du loup, au dépôt d'ordures où il a coutume de chasser le surmulot. Pas de Chinook. Qu'importe, elle ira seule. Suivant les traces des petites, elle les retrouve dix minutes plus tard, juchées sur un arbre mort. Au pied de ce refuge, deux Bêtes rendues folles par la faim! Eleanor tire et tire encore bien après la disparition des Bêtes. Les fillettes se jettent dans ses bras. Eleanor est bouleversée. Akuna ne l'a pas habituée à une telle affection.

Quand Eleanor et les enfants entrent dans le bar, Akuna se précipite vers sa mère, tend une main tremblante vers son visage.

— Mais enfin maman, tu risquais d'être tuée.

Il l'attire doucement contre lui. Avec un sanglot, Eleanor se blottit au creux de la solide épaule. Sur sa joue, leurs larmes se mêlent. Ce soir-là, la boutique ferme plus tôt. Tous n'ont qu'une hâte, filer chez eux et s'y barricader.

Le froid s'intensifie. Les Bêtes ont fait disparaître toute vie animale de cette partie du monde. La faune régionale se résume à une bande de loups aussi affamés que les villageois. Même pour eux, la survie devient problématique.

La même semaine prend place une autre tragédie. Grand-Ours, parti seul à la chasse en dépit des mises en garde d'Amarok, se fait massacrer par une meute de Bêtes.

Chapitre 9

Amarok, à son habitude, se réveille avant l'aube. Ses deux derniers chiens et Tanik, une demi-louve au corps puissant, ont dormi dans la cabane. Ceux là, il n'a pas l'intention de les perdre. Le feu est presque éteint. Les murs sont blancs de givre. Sitôt levé, Amarok distribue le saumon à ses animaux, active le feu avec une giclée de whisky, bourre le poêle jusqu'à la gueule et suspend dans l'âtre le chaudron de soupe. Enfin, il mesure une poche de farine de maïs pour ses galettes. Le vieux pétrit d'un geste régulier.

Akuna vient d'entrer, nu-tête, sans gants, vêtu d'une courte veste de laine. L'air s'agite un instant. Un nuage de farine poudre le front d'Amarok, ajoute à sa tignasse quelques années supplémentaires. Devant la tenue du garçon, Amarok baisse la tête pour dissimuler son amusement. Ce matin, la chicane entre Eleanor et son fils a dû être sérieuse pour que l'adolescent sorte ainsi habillé. Par la fenêtre, Amarok voit Chinook ramener sous son ventre ses pattes aux doigts recroquevillés. Le froid est vif, même pour un loup! Soudain, le vieux pâlit en apercevant des marques violacées sur le visage de son jeune ami. Akuna s'est encore battu!

Les deux amis se regardent à peine. Un vague grognement franchit leurs lèvres. Un éclat joyeux traverse l'œil d'Amarok.

L'adolescent se dirige vers une malle aux ferrures rouillées. Il en extrait de chauds vêtements, songeant à la mine catastrophée de sa mère quand elle l'a vu sortir si légèrement vêtu. Elle en a pour la journée à s'inquiéter. Amarok, sans quitter son travail, observe par la fenêtre Chinook qui sautille d'une patte sur l'autre.

— Par pitié, fais rentrer ce pauvre loup, mon gars.

Akuna ne bouge pas. Le vieux ouvre.

— Rapplique, gros baveux! mais t'approche pas de mes chiens.

Le loup va s'allonger derrière le poêle, jappant de plaisir. Akuna met deux écuelles en bois sur la table. Après avoir mangé, ils iront voir leurs pièges et consacreront quelques heures à la chasse. Ils déjeunent en silence. Chinook se met à pleurnicher devant la porte, nez au ras du sol.

— Avec celui-là, on n'en finit plus. Un froissement d'ailes et le voilà fou comme un bâton, s'amuse le vieux. File, lourdaud.

Chinook s'éloigne en ronchonnant. Les malamutes prennent sa place. Le manège amène les deux hommes à la fenêtre. Misère! La meute du Suédois: huit labradors, rendus féroces par les mauvais traitements, à un point tel que le conseil du village a décidé l'expulsion de leur maître pour aujourd'hui.

Tanik se presse contre les jambes d'Amarok. Aucun doute que si elle sortait avec Chinook, la meute du Suédois serait vite anéantie; mais Amarok n'enverra jamais ses chiens à la bataille par simple jeu.

L'air malicieux d'Akuna indique une volonté contraire.

— Touche à cette porte et j'me fâche, lance Amarok.

— Avec toi, on ne peut jamais s'amuser. Au fait, paraît que Codel vient de démolir Philbert, un colosse de cent trente kilos, en dix secondes, d'un seul crochet du gauche au menton.

Amarok hausse les épaules. Il refait du café. Le temps d'en boire une tasse et la rue est déserte. Amarok entrebâille doucement la porte. Aussitôt, d'un élan irrésistible, Chinook et Tanik le bousculent et bondissent à l'extérieur. Ils ont senti l'ennemi dissimulé dans l'ombre.

— Sapristi! hurle le vieux, les labradors sont encore là.

Apeurés, les deux malamutes se réfugient au fond de la cabane. Amarok se précipite dehors, carabine en main. Les deux loups ont disparu dans la grisaille matinale. On ne voit rien à dix pas. Akuna le rejoint. Leur parvient le tumulte d'une bataille impitoyable. Des silhouettes grises sautent hors du brouillard, disparaissant aussitôt vues. Une forme gigantesque se profile. Dieu! Ce sont les Bêtes! Le vieux s'arrête. Et il lui faut rester là, bras ballants, pendant que son plus bel animal se fait égorger.

Amarok porte les doigts à sa bouche, s'apprête à siffler; mais le combat est terminé. La gorge du vieil homme se contracte. Il entend claquer les mâchoires qui se disputent la chair des victimes.

— Tanik! jette sa voix vibrante. La louve reste sourde à son appel. Akuna place ses mains en porte-voix, appelle son loup. Chinook ne se manifeste pas non plus. Akuna et le vieux rentrent, unis pour la première fois par une semblable tristesse.

Le café et l'alcool qu'ils mélangent ce matin ont bien mauvais goût. Le jour levé, ils parcourent les environs de la cabane. Sur les lieux de la bataille, ils ne trouvent que de sanglants débris et, partout, des empreintes énormes. Ni loup, ni ours...

Et la vie reprend ses droits. Un lièvre à pattes fourrées dévale le sentier. Un harfang des neiges pousse son cri d'enfant apeuré. Le soleil rosit la plaine...

Pendant ce temps, épaule contre épaule, Chinook et Tanik fuient les lieux de l'affrontement. Le loup est couvert de plaies. Chacun de ses bonds est ponctué d'un gémissement caverneux. Sa fourrure pend par endroits, laissant voir les muscles déchirés. Il s'est exposé cent fois pour protéger Tanik.

Après un bref soleil, un jour sombre et nuageux s'établit sur la montagne. Depuis une heure, les deux loups filent droit devant eux, pourchassés par six Bêtes d'une taille phénoménale. Grâce à Chinook qui l'a bien protégée, Tanik n'a que des blessures superficielles. Elle mène la course.

Chinook ralentit. Tanik l'encourage d'un grondement, d'un coup d'épaule. Elle colle étroitement son corps au sien afin d'atténuer son épreuve. En vain. La louve se retourne. Le plus rapide de leurs poursuivants les talonne à vingt pas ; les autres forment une ligne mouvante qui s'étire au loin. Brusquement, les deux loups font volte-face. Leur attaque est impitoyable. L'hybride n'a pas le temps de se défendre. Chinook et Tanik repartent à petites foulées avec des grognements satisfaits. Ils effectuent un large détour et retournent au village.

Chapitre 10

Ça y est ! Toutes les tablettes du magasin sont vides. Il faut absolument tenter une autre course au centre d'approvisionnement régional. Mais la route est longue et risquée. Le candidat doit être solide. Et l'impensable se produit. Le conseil du village choisit Amarok. Akuna est fou de rage. La mauvaise santé du vieux n'est pourtant pas un secret. « Seule l'expérience de meneur de chiens d'Amarok importe », ont affirmé les villageois. Et lui, Akuna, n'est-il pas le plus rapide conducteur de traîneaux de la vallée ? Mais voilà, la maudite langue de conteur d'histoires d'Amarok a su tromper tout le monde. En quelques phrases bien tournées, il a recueilli l'unanimité des votes. Pourtant quel bavardage lamentable il leur a servi. Satané orgueilleux ! Il s'est humilié comme un vieux chien réclamant un os à demi rongé par d'autres ! « Il sera sur les genoux en deux jours ! » avait crié Akuna avant de quitter le bar, furieux, tandis qu'un voyageur entrait. Akuna l'avait bousculé, exprès. Il cherchait la bagarre. L'homme s'était écarté sans un mot. C'était mieux ainsi.

Akuna est dans sa cabane avec Chinook, à l'extrémité du village; il vient de s'y enfermer après la réunion. Soudain, une pensée terrible lui traverse l'esprit. Et si ce vieux prétentieux profitait de l'occasion pour se payer la fin illustre dont il rêve? «J'aimerais mourir comme mes glorieux ancêtres, seul, face au Créateur», lui a-t-il dit un jour.

Et puis non! Amarok ne sacrifierait jamais douze chiens, même pour se payer un rêve de guerrier. De plus, le championnat de boxe du nord de l'Amérique doit avoir lieu dans six mois. L'arrogant vieillard ne raterait cette épreuve pour rien au monde.

❧

L'heure est arrivée. Le froid, impitoyable, gèle les entrailles des caribous, retient au terrier lièvres et renards; jusqu'aux loups qui n'osent mettre le nez dehors. Amarok fait claquer son fouet. L'attelage s'enfonce dans le brouillard. Le vieux, hélas, ne se rend pas loin. Une douzaine de Bêtes semblent le guetter à deux kilomètres de Longue Maison. Amarok ne devra son salut qu'à une rapide volte-face de ses chiens puis à leur course éperdue. Il s'occupe d'eux sitôt arrivé.

— On dirait que, ce matin, vos huskies ont bien gagné leur saumon! lui lance un grand type établi au village depuis l'automne.

Amarok étire sa bouche avec une lueur moqueuse dans l'œil. Après trois mois de pays, cet ignorant n'est toujours pas capable de différencier le husky de Sibérie du malamute d'Alaska. La seule chose qui les lie est leur appartenance à la famille des Spitz, comme du reste, tous les chiens dont la queue s'enroule sur le dos.

— Ils ont fait ce pays, lâche Amarok d'un ton rogue. Pour désigner le chien, mettre de l'avant son intelligence, l'Inuit dit: *Otray-hui-matta,* « Il ne sait pas parler, c'est tout ».

— « Il ne sait pas parler, c'est tout » signifie « chien » ? demande l'homme d'un air ahuri.

Amarok secoue la tête, agacé. Il nourrit les chiens et les ramène à leurs propriétaires. Akuna l'observe de sa fenêtre d'un œil amusé. Plutôt pathétique, la course de l'expert.

❧

C'est l'aube. Amarok est de mauvaise humeur. Tanik et ses deux malamutes ont dormi dans la cabane. Ils se sont agités toute la nuit. Le vieux en découvre les raisons en sortant. Il y a de larges empreintes jusque devant sa porte.

Ce même jour, à quelques kilomètres du village, Akuna et sa mère aperçoivent une trentaine de Bêtes poursuivant un cerf de Virginie. La situation se détériore chaque jour davantage. Il n'y a plus de temps à perdre. Les villageois se réunissent d'urgence dans l'arrière-salle du magasin éclairée à la graisse de caribou. Ils sont tous là, hommes et femmes, Premières Nations et Blancs, dans l'atmosphère lourde des habituelles odeurs de tabac et de peaux de bêtes humides de sang.

À la recherche d'explications, les villageois se tournent tout naturellement vers Amarok. Les Bêtes ? Certain qu'il a son idée. Probablement des chiens errants qui depuis vingt ans s'accouplent avec des coyotes, des loups et des chiens sauvages.

Ainsi, les monstrueux « loups-ours » n'existent pas. Mais connaître l'adversaire n'efface pas la peur qui demeure intense.

— Faut détruite ces vermines, crie un jeune voyageur.

Amarok retient la colère qui lui vient à la bouche. Encore un imbécile qui croit aux animaux nuisibles.

— Je pensais que jamais le loup n'attaquerait l'être humain ? s'étonne Eleanor.

— Et vous avez raison, la renseigne le vieux. Affamés ou non, les loups fuient l'homme. Affirmer le contraire est ridicule. Mais nous, on se trouve face à des hybrides. Ils ont la puissance des loups et l'audace des chiens qui, eux, ne craignent pas les gens.

Questions et remarques fusent de toutes parts. Amarok est submergé de plaisir. À cause de leurs angoisses, il redevient Amarok l'indispensable. «Amarok, pourquoi?» «Amarok, comment?» À son avis, les Bêtes sont au moins une centaine.

Et le mot tombe. «Poison!» Amarok bondit.

— De la pure cruauté. De plus, la plupart des prédateurs se nourrissant de cadavres, la faune de toute la région disparaîtrait.

Akuna propose alors de chercher leurs tanières et de les faire sauter. Sans abri, le froid se chargera bien d'éliminer ces Bêtes. L'idée est retenue à l'unanimité. Amarok est bouleversé par la sauvagerie du procédé. Il ne peut se résoudre à voir anéantir une nouvelle espèce faunique. Aidé en cela par un abus d'alcool qui fausse son jugement, Amarok fait face aux villageois, poings serrés. Là, guidé par sa passion de la créature nordique, il se vide le cœur de quarante ans de frustrations, de regrets aussi. Son manteau d'ours reste d'ailleurs le souvenir amer d'un animal qui, en mourant, avait des larmes aux yeux, lance-t-il à ses auditeurs.

— Laissons ces hybrides en paix, implore-t-il. La belle saison ramènera les caribous et les choses retourneront à la normale.

Le forgeron dissipe le malaise d'une voix forte. Il soutient le vieux.

— Aurais-tu peur, Albert? insinue Akuna.

Albert foudroie du regard l'adolescent qui relève le front. Le petit crétin dépasse les bornes. Il ose l'insulter devant tous! Ses yeux prennent un éclat mauvais. En apparence, peu intimidé, l'adolescent se campe devant lui, poings aux hanches. Albert est un colosse: au moins trente kilos de muscles les séparent. Dans l'assistance, on ne peut s'empêcher d'admirer Akuna. Depuis le début de ces histoires de Bêtes, il demeure le seul à exprimer ce que de nombreux autres ne font que penser. Et, le plus admirable, ses arguments sont souvent d'une grande sagesse.

— Rentrons, Antoine.

Eleanor, indisposée par l'incident, tire le bras de son fils. Antoine! Il déteste ce nom, un nom de mauvais élève, d'enfant battu, un nom du passé. La suivre? Le connaît-elle si mal? À ce spectacle, les yeux d'Amarok brillent de plaisir. Akuna, défiant le forgeron! Pourquoi pas? Le carcajou, gros comme un chat sauvage, intimide bien l'ours kodiak. Mais le garçon risque d'entraîner Amarok dans une sale histoire, car si Albert lève la main sur lui, le vieux devra intervenir.

— Viens-t'en donc, insiste Eleanor.

Albert fait un pas vers Akuna. L'adolescent se fige. Amarok se lève. Albert le voit faire. Se bagarrer avec ce vieux dur à cuire ne le tente guère. Sans brusquerie, il pose sa main sur l'épaule d'Akuna.

— O.K, petit, allons les exterminer.

Amarok a un haut-le-cœur. Ces idiots vont massacrer tout ce qui de près ou de loin ressemblera aux hybrides. Première victime de leur impatience, le loup. Une vieille habitude nordique. Akuna conserve son ton de bravade. Sa fausse victoire lui fait perdre toute mesure.

— Où peuvent nicher ces hybrides ? interroge Meungen.

— Sûrement à la colline du Fer-à-cheval. Il y a plein de grottes par là-bas, jette Amarok, soudain décidé à partir avec le convoi afin de limiter les dégâts ou faire carrément échouer le projet.

— Des volontaires pour la promenade ? s'informe Albert.

Huit prospecteurs lèvent la main, dont Akuna et Amarok. Albert n'ose pas dévisager le vieux. Il a presque envie de lui rappeler l'échec de sa dernière course. Mais on ne met pas si simplement un tel homme de côté. Près du feu, Amarok suit, sur le visage du forgeron, le cheminement de sa pitié. Celui-ci force sa voix au calme.

— Cinq gars suffiront. Donc...

Le voilà indécis. Qui choisir ? De quelle manière Amarok et Akuna prendront-ils l'humiliation d'un refus ? Parmi des amis de longue date, Albert doit désigner des hommes pour les envoyer peut-être à la mort. La main d'Amarok se relève. Albert détourne la tête. Permettre au vieux de partir dans son piètre état physique ?
— Prépare tes raquettes, Amarok, laisse-t-il tomber d'un ton qu'il veut indifférent, comme si désigner Amarok s'imposait.

Le vieux se redresse, rouge de plaisir. Albert quitte son tabouret.

— Steven, toi aussi. Bon, il me reste à persuader deux des voyageurs qu'on héberge gratis depuis un mois de se porter volontaire. Je serai du voyage, termine Albert.

Akuna se lève d'un bond, narines frémissantes. La colère lui fait mal jusqu'à l'intérieur du corps. Pour un peu, le forgeron reculerait.

— C'est mon idée, la place est à moi. D'abord, tes choix sont idiots. T'as une famille. Ma mère peut se débrouiller. Elle sait...

Seka-Kinyan lui coupe la parole.

— Pense à ta famille, Albert. Je dois te remplacer.

Le forgeron passe un doigt entre son cou et sa chemise. Empêcher son fils de partir serait porter publiquement atteinte à son honneur de Christinau.

— D'accord... mais toi, petit, tu restes. Je t'aime bien et…

Akuna émet un rire forcé.

— Fiche-moi la paix avec tes stupidités.

Renversant au passage un tabouret, Akuna traverse le bar sans un mot et va s'asseoir près du loup.

— Préparez les chiens, commande le forgeron. Seka-Kinyan, tu prendras la tête et...

Albert ne va pas plus loin. Un grondement hargneux s'échappe de la gorge du vieux. Il ne commande pas l'expédition! Albert crispe les lèvres. Trop tard pour rectifier sa bévue. Enfin, quoi! Il ne peut pas passer son temps à surveiller son vocabulaire afin de préserver la fierté de ce vieillard rempli d'orgueil, nom de nom!

Du fond de la salle retentit le ricanement d'Akuna. Amarok est mis sur la touche! Le jeune garçon s'en réjouit sans retenue. Mais Albert se trompe s'il croit utiliser son loup pour mener la course.

Le vieil homme foudroie l'adolescent du regard. Maudit gamin!

Albert fait un geste vers Amarok. Celui-ci tourne le dos, patience épuisée. Seule l'insulte lui vient aux lèvres et la colère dans les poings. Il va s'asseoir près du poêle, ravalant son amertume. Derrière la pile de bûches, Akuna parle seul. Après quelques tournées d'alcool, les villageois étudient l'expédition en détail. Dans ce domaine, Amarok est le plus qualifié. On vient le chercher. Il s'en réjouit sans honte.

— Huit jours pour remettre les chiens en forme, fait-il, autoritaire. Barton, sors tes munitions.

Le magasinier prend un air rusé. Les affaires reprennent. Il émet un rot sonore qui le fait rire et disparaît dans son arrière-boutique. Dix minutes plus tard, il est de retour, le visage écarlate. Il s'est trompé dans son inventaire. *Il n'a plus de munitions!* Les gens se jettent des regards effarés.

Un homme va jusqu'à empoigner Barton par les revers de sa veste. Il s'agit de Steven Brighton, un journaliste venu faire un reportage sur le pays.

— Suffit, Steven, prononce sèchement Amarok.

— Toi, l'ancêtre, va jouer dans la neige !

Sans hâte, le vieux quitte son tabouret, mais avant qu'il ait pu faire un geste, un cri rauque retentit de la salle de classe. Les gens rassemblés devant le bar sont repoussés de droite et de gauche. Une forme échevelée bondit sur Steven, l'entraîne au sol.

— On n'insulte pas Amarok devant moi, jette l'adolescent.

Sur le plancher humide, la lutte est farouche. Steven est solidement bâti, mais personne ne s'oppose à l'inégal combat. La majorité y voit une aubaine à ne pas manquer. La voix d'Eleanor couvre le tumulte.

— Séparez-les, Amarok, je vous en prie.

Le vieux ne répond pas, incapable de se décider. Il est curieux de découvrir les limites d'Akuna, Akuna qui se bat pour lui. Amarok est fou de joie. Non, on n'arrête pas un tel combat. Eleanor tente de se frayer un passage entre les hommes. Les épaules se joignent devant elle. Elle veut argumenter, c'est inutile. Le combat est terminé.

— Ça va, Akuna, j'ai mon compte, souffle le journaliste.

— Avant, fais des excuses au père Amarok, exige l'adolescent.

L'homme obéit aussitôt. Akuna se relève d'une détente. Épaules sorties, il plante ses yeux dans ceux du forgeron. Sa question est implicite. Albert hoche la tête.

— Joli combat, mais c'est toujours non.

Akuna retient ses larmes. Noami caresse ses mains tremblantes. L'adolescent se calme un peu.

— T'es dur, Albert, nom de nom ! s'indigne le tenancier titubant derrière son bar. Il a du cran, ce garçon. Il réussirait, même tout seul.

Albert ne daigne pas répondre. Barton a sans doute raison.

Chapitre 11

À présent, il faut compter les munitions qui restent. Quelques hommes ont posé sur le comptoir les cartouches qu'ils avaient dans leurs poches, d'autres sont allés fouiller chez eux. Les munitions rassemblées forment un petit tas dérisoire. Cent quatre-vingts cartouches. Que peuvent-ils faire avec cette misère?

— Les «types» en ont sûrement, s'écrie Barton, en crachant une salive brune qui atterrit sur les mocassins d'Edith.

«Les types» sont ces étrangers nouvellement arrivés.

Albert se rend chez eux sans attendre. Il marche vite, un peu à cause du froid, des trois Bêtes aussi qu'il a vues rôder la veille derrière l'entrepôt. Meungen le rappelle du pas de la porte.

— Et s'ils refusent?

Sans ralentir son allure, Albert lève ses poings énormes sur le côté. Meungen sourit. Un argument irrésistible.

⁂

C'est le grand jour.

Sous les harnais raidis par le gel, les meutes se chamaillent, impatientes. Hommes et femmes s'activent en silence autour des trois *komatiks*. Devant l'entrepôt, indifférents à l'agitation, Axime et Pat, deux « types », piétinent sur place, le regard hostile. Albert a fait irruption chez eux pour s'emparer d'une poche de munitions et les entraîner de force dans cette aventure.

Amarok cherche en vain Akuna dans la foule pressée autour des *komatiks*. Il l'aperçoit devant chez sa mère. L'adolescent est furieux, évidemment. Amarok est allé chez lui récupérer Chinook au milieu de la nuit alors que le jeune garçon et le loup s'apprêtaient à filer.

Le soleil termine sa brève course au-dessus des terres. Une frange pourprée coiffe les montagnes. Amarok se perd dans un instant de rêverie. Il cherche des signes dans le ciel. Près de lui, sur la branche nue d'un hêtre, deux oiseaux des neiges — des gélinottes huppées — piaillent faiblement ; leurs ailes engourdies les retiennent sur le perchoir. Serait-ce un augure invitant les hommes à demeurer chez eux ?

Soudain, Akuna est devant lui. Les deux amis sont incapables de prononcer le moindre mot. Leurs lèvres tremblent sous l'effet d'une semblable émotion, leurs yeux luisent du même éclat. Et les voilà dans les bras l'un de l'autre.

Trois *komatiks* composent le convoi. Seka-Kinyan part avec Steven, assis dans le traîneau. Axime est seul. Amarok fait équipe avec Pat, lui aussi installé sur le traîneau. Chaque *kimuksit* compte huit chiens, attelés en ligne pour la course en forêt. Chinook mène l'attelage de Seka-Kinyan, et Tanik, celui d'Amarok. Les fouets sifflent. On croirait percevoir un crépitement d'armes à feu. Les animaux s'arc-boutent. Sous leurs toisons épaisses, les muscles saillants sont tendus, semble-t-il, jusqu'au point de déchirure. Deux attelages s'ébranlent. Celui de Seka-Kinyan reste prisonnier de la glace. Quand l'autochtone se libère, Amarok est loin. Il mène le convoi ! Filou ! s'amuse Akuna. Ce matin, tu étais le premier dehors, soi-disant pour t'occuper des chiens, mais moi, je t'ai vu jeter de l'eau sur les patins de Seka-Kinyan pour que son *komatik* reste collé au chemin. Et, plus bas, Akuna murmure : « Réussis, vieil ami ». Dans toute cette histoire, Amarok a manqué d'intuition. Il n'a pas su deviner que l'adolescent ne souhaitait faire ce voyage que pour veiller sur lui.

Le vieux rit de plaisir. Échappées de son bonnet de loutre, quelques mèches rouges ondoient au vent comme une fourrure de loup en pleine course. Une larme brille dans ses yeux. Elle ne provient pas de l'air glacé. Il est heureux comme un enfant. Akuna l'a embrassé.

À présent, reste à établir la surveillance du village. Le magasin de Barton représentant la plus haute position de l'ouest et le toit plat de l'entrepôt, celle de l'est, on y installera deux observatoires où, dorénavant, de l'aube à la brunante, se tiendront les guetteurs.

Un tirage au sort a désigné Albert et Akuna pour les premières gardes matinales. Un peu avant l'aube, ils se rendent au bar afin de mettre au point avec Peter la rotation des équipes de surveillance. Les trois amis s'installent à une table. Jeff, un des « types », les apostrophe du comptoir.

— Vous faites pitié, les héros.

Albert ignore la remarque. Il engage tant de responsabilités dans ce convoi. Au diable les remontrances de Jeff !

— Faut composer avec ce qu'on a, lance Peter.

— On n'improvise pas avec des vies humaines !

Albert passe plusieurs fois le dos de sa main sur ses lèvres frémissantes. Il va jusqu'à la fenêtre. « Saleté d'hiver ! », murmure-t-il.

Chapitre 12

— Cours, Tanik!

Cela commence mal. À peine sortis du village, une quinzaine de Bêtes les a pris en chasse. Elles talonnent le convoi, à peine à cent pieds du dernier traîneau. Aiguillonnés par la peur, les chiens mettent toute leur puissance dans la course. La neige molle gicle sous leurs pattes, aveuglant parfois les conducteurs.

Amarok lance un regard vers l'arrière. Avant qu'Amarok ait pu reporter les yeux sur la piste, son traîneau fait une embardée. Ils vont se retourner! À l'instant précis où le *komatik* retombe en porte-à-faux sur son patin, Amarok pèse de tout son poids sur la partie élevée du traîneau. Le patin reprend durement contact avec la piste. Verser à ce train d'enfer, avec les autres attelages sur les talons, aurait produit une jolie pagaille dans laquelle tous pouvaient perdre la vie. Amarok ordonne à son passager de jeter la provision de viande sur la piste afin de retarder leurs poursuivants.

Pat obéit de mauvaise grâce. Comme prévu, les hybrides interrompent la poursuite et se disputent la nourriture. Mais le répit est de courte durée. La viande avalée, les Bêtes regagnent rapidement le terrain perdu. Au même moment, deux Bêtes s'apprêtent à bondir sur le *komatik* de Seka-Kinyan. Dans sa position assise, ballotté en tous sens, le journaliste se sait vulnérable. Quant à utiliser sa carabine, il n'en est pas question sur cette piste cahoteuse. Les Bêtes sont à trois mètres. Steven enrage. Maudite histoire! Soudain, une Bête saute sur le traîneau, l'écrase de tout son poids. Les énormes crocs se rapprochent déjà de son visage lorsque Seka-Kinyan se penche sur le traîneau par-dessus la barre de direction du *komatik* et, dans le même mouvement, enfonce son couteau à dépecer dans la nuque de la Bête. Seka-Kinyan doit hurler pour se faire entendre à cause du vent de la course qui s'engouffre en sifflant sous ses couvre-oreilles.

— Tu vas prendre les commandes de l'attelage pendant que j'abattrai deux ou trois Bêtes. Cela nous fera gagner quelques minutes. Les grottes ne doivent plus être loin. Ne va pas trop vite, que je puisse te rattraper. Passe-moi une carabine…

Le Cree n'ignore pas qu'une fois ce geste audacieux achevé, il ne lui restera plus assez d'énergie pour courir. Steven saute du traîneau et s'empare de la corde qui le relie à Chinook. Seka-Kinyan s'agenouille, face à la meute.

Sans raison précise, Amarok éprouve tout à coup une sorte d'euphorie. Il lâche un grand cri. À la vue d'un oiseau de proie engourdi sur une branche, quelques ostiaks s'énervent. Toute menace écartée, l'indiscipline naturelle du chien de trait reprend ses droits. Des grondements de plaisir dans la gorge, Amarok fait tournoyer sa lanière de cuir.

— Va, Tanik, file, ma belle.

Tel que demandé par Seka-Kinyan, Steven devait attendre le Cree à proximité, mais sa peur est trop vive. Il abandonne son compagnon et s'éloigne rapidement.

Seka-Kinyan perçoit l'aboiement des chiens qui s'amenuise. Le voilà seul! Il sait qu'à présent il a peu de chance d'en réchapper. Il épaule sa carabine Springfield; mais, incroyablement, il ne tire pas. Le spectacle est trop fantastique. Trois Bêtes gigantesques le chargent, effectuant des foulées de deux mètres. De leur gueule et de leurs narines s'écoule une écume rougeâtre qui annonce leur mort prochaine. Épuisées, affamées, les Bêtes meurent debout! Et pourtant, malgré leurs souffrances, elles n'en continuent pas moins l'infernale poursuite. De temps à autre, poumons gelés, une Bête de la meute s'abat, comme ayant buté sur un obstacle invisible; son corps est aussitôt la proie d'une multitude de gueules avides et est dévoré alors que l'animal vit toujours. Ces malheureuses Bêtes lui font songer à son peuple luttant sans espoir contre l'envahisseur blanc.

Seka-Kinyan a du mal à ajuster son tir. L'appréhension noue les muscles de ses bras. Une Bête se trouve dans l'alignement de son canon. Il presse la détente. L'animal touché en pleine poitrine effectue une pirouette et s'abat. Les deux hybrides qui l'accompagnaient s'en emparent et referment leurs crocs sur son corps palpitant. Le Cree en tue deux autres et se lève avec difficulté. Les muscles de ses jambes sont paralysés par la formidable énergie nerveuse qu'il vient de dépenser. Il se retourne. Dieu! Steven est revenu. D'une démarche flageolante, il le rejoint et s'affale sur le bagage. Le regard des deux hommes s'accroche. À quoi bon les mots.

La neige durcit. C'est à peine si les patins entament la piste glacée qui se contorsionne suivant les caprices de la rivière. Le train vif est d'un bon présage. De nombreux signes indiquent aux voyageurs qu'ils arrivent au repaire des hybrides. Amarok est agité. Parviendra-t-il à empêcher la tuerie?

Le vieux ralentit. Il a quelques directives de dernière minute à communiquer à ses compagnons. Les traîneaux le rejoignent, mais, avant qu'Amarok ait eu le temps d'ouvrir la bouche,

Seka-Kinyan le dépasse avec un sourire moqueur. Il cingle ses chiens qui accélèrent l'allure. Son attelage distance rapidement celui du vieux. Amarok est furieux. Battre des animaux pour les faire obéir est une imbécilité. Amarok sait que le jeune Cree part exécuter les directives d'Albert. À preuve, la dynamite se trouve sur le *komatik* de l'autochtone.

Seka-Kinyan est en vue de la formation rocheuse du Fer-à-cheval. Ne lui reste qu'à suivre la rampe de pierre menant au plateau, située au-dessus des tanières. Il remercie déjà le ciel, mais les mots s'éteignent sur ses lèvres alors qu'un déferlement de Bêtes jaillit des grottes, le cerne de toutes parts. Seka-Kinyan et Steven tranchent vivement les sangles des chiens afin qu'ils puissent se défendre. Rendus hystériques par l'odeur des Bêtes, chiens et loup se jettent dans la mêlée. La bataille est impitoyable. Dès le début, Seka-Kinyan se trouve séparé de Steven. Pour toute arme, le jeune homme n'a eu que le temps de saisir une courte hache. Déjà trois chiens ont été dévorés. Les autres opposent une résistance désespérée, mais que peuvent ces infortunés animaux, épuisés, mal nourris depuis le début de l'hiver ? Seka-Kinyan reçoit un choc violent dans le dos. Il tombe sur les genoux. Des crocs acérés fouillent les muscles de son bras jusqu'aux os. Étrangement, il n'en ressent aucune douleur. Le cerveau occupé par tant d'actions n'a pas de temps à consacrer à cette souffrance. Le jeune homme s'affaisse alors que les chiens du traîneau d'Axime viennent de se joindre au combat.

Puis arrive Amarok qui veut libérer ses chiens. Il n'en a pas le temps. Fou de terreur, son attelage s'élance vers le centre de la formation rocheuse. Apercevant Seka-Kinyan au sol, Amarok s'ouvre un passage jusqu'au jeune homme, cognant à droite et à gauche avec une pelle. Chacun de ses coups est ponctué par deux mots, toujours les mêmes. Pauvres Bêtes ! C'est alors qu'Amarok se rend compte que la lutte qu'il soutient contre les hybrides, aussi détestable soit-elle, stimule son esprit, remet en son corps une vigueur qu'il pensait à jamais perdue. Ainsi, au nom de cette jeunesse revenue, Amarok massacre ces Bêtes qu'il est venu sauver.

Hé bien, soit! Frappe, Amarok, tue-les ces créatures qui te permettent de briller à nouveau. Frappe à n'en plus pouvoir, prends la vie sacrée du Nord au seul profit de ton vaste orgueil. Les larmes ruissellent dans sa barbe rouge. Il sanglote et il rit. Il est jeune à nouveau et pour cela, il renie le but ultime de son existence, jusqu'à l'essence de la vie. Amarok tue le Nord...

Amarok relève Seka-Kinyan et le conduit en sécurité sur l'étroit passage qui mène au promontoire surplombant les cavernes. D'un cri, le vieux rappelle Chinook qui bataille au pied de leur refuge. Axime les rejoint avec Tanik. Les Bêtes survivantes se sont dispersées sur la toundra. Un désastre. Pat a succombé sous le nombre avec ses chiens et tous les hommes sont blessés, Seka-Kinyan, très sérieusement à la poitrine et aux bras. Amarok est désappointé, en dépit du nombre important d'hybrides ayant pu s'enfuir. Une fois les tanières détruites, ces rescapés ne survivront pas huit jours au froid. La race s'éteindra. Le vieux parcourt d'un regard écœuré la surface du Fer-à-cheval couverte d'animaux morts ou agonisants. Axime organise le bivouac sur le plateau. Amarok allume un feu et fait fondre de la neige. Seka-Kinyan délire. Le vieux enduit ses chairs meurtries d'un cataplasme d'herbes de sa composition et lui confectionne un pansement. Ensuite, il s'occupe des chiens. Quelle tragédie! Sur vingt-quatre, il en reste huit, tous plus ou moins gravement éclopés.

Une histoire insensée! Amarok vient de se fabriquer d'odieux souvenirs avec ce carnage inutile. En l'espace de trois ou quatre générations, du sang des hybrides, mêlé à celui du loup, se serait développée une superbe espèce de prédateurs, effaçant jusqu'au souvenir de la Bête. Au lieu de cela, l'homme…

Amarok songe à la mort de Pat et ne s'en trouve pas vraiment affecté. Il pleure ses chiens, voilà tout.

Après avoir pris quelques heures de repos, les compagnons s'activent pour le départ. Axime et Steven préparent les *komatiks* pendant qu'Amarok place la dynamite dans les grottes. Certaines charges, « mal installées », devraient laisser quelques abris habitables. Et puisque c'est lui qui allumera les mèches... Le vieux refuse de ne garder en mémoire que des scènes de désolation. Demain, seul dans sa cabane, sera assez difficile à vivre. À l'aide d'une corde, la dépouille de Pat est hissée dans un peuplier afin de la soustraire aux prédateurs. Ils reviendront l'enterrer au printemps.

— Il n'en restera rien, proteste Steven, alors qu'une dizaine de corbeaux se chamaillent sur la branche qui supporte le corps.

Indignés eux aussi, Axime et Steven interpellent le vieux.

— Les chiens qui nous restent sont épuisés, crie Amarok. Ils vont transporter Seka-Kinyan. Votre copain n'a plus aucun souci.

Une ironie déplaisante qui vaut au vieil homme de virulentes remarques. Il se contente de hausser les épaules.

C'est l'heure du départ. Le Cree est couché sur le *komatik* de Steven, anéanti par la fièvre. Amarok a installé deux chiens blessés sur l'attelage d'Axime, comme pour le narguer.

— Alors on va ramener ces saletés à demi crevées pendant que la dépouille de Pat se balance dans un arbre ?

— Ces saletés, comme tu dis, ont sauvé ta peau, jette Amarok.

Axime demeure interloqué. Amarok rayonne. Ainsi, il impressionne toujours. Sa vigueur revient, bien réelle. À preuve, les agaçantes lourdeurs à la poitrine qu'il traînait depuis le départ de Grand-Bouleau se sont estompées.

Amarok chausse ses raquettes. Il neige abondamment. À cause du manque de chiens, les hommes s'attellent aux *komatiks.* Steven ébauche un sourire désenchanté. Maudit vieux! Il faut l'entendre ricaner dès qu'il se pense à l'abri des regards. Amarok se place en queue du convoi qui s'ébranle. Il doit allumer les mèches.

Soudain les chiens s'agitent.

— Enfin, que...

Une scène poignante se déroule devant les voyageurs. Une jeune Bête, à peine sevrée, sort d'une tanière à petits pas incertains, clignant des yeux sous le soleil de son premier hiver.

— Je l'avais pas vu en inspectant les cavernes, s'étonne. Amarok.

— T'aurais pas aussi oublié de dynamiter l'endroit?

— Ça va, le sarcasme. Et vous, la chiennerie, on se calme!

Steven épaule son arme. Amarok baisse le canon.

— Assez! L'infortuné petit représente le renouveau et tuer la jeunesse, c'est nier la vie.

Ses compagnons ne s'offensent pas. À quoi bon? La jeune Bête parcourt les lieux de la bataille. Elle s'immobilise soudain devant un hybride allongé dans la neige sanglante, le corps brisé par vingt blessures. C'est sa mère! Seka-Kinyan laisse échapper un grognement. L'odieux de la besogne accomplie ici ne lui échappe pas. Avant l'ouverture des compagnies de fourrure, l'autochtone respectait les animaux sauvages. À présent, à cause des Blancs, seul compte le profit. La viande du gibier est abandonnée sur place. Steven s'impatiente.

— Chasseurs et trappeurs prélèvent les proies des carnassiers. La Bête n'a plus rien à manger à cause d'eux, explique Amarok.

— Il dit vrai. Laissez-le vivre, murmure le Cree.

Et voilà que le corps de la femelle tressaille. De la patte, elle attire son petit contre elle. Leurs souffles se mêlent. Amarok a du mal à dissimuler sa joie.

— En route, vous autres! Je m'occupe de la dynamite.

Le journaliste ne se laisse pas attendrir. Il veut abattre la Bête.

— Tu ne vois pas ce qui se passe au Canada? rugit Amarok. Le gouvernement détruit les loups, les coyotes et les ours afin de plaire à ces imbéciles de chasseurs sportifs, et nous, on fait pire. Ce matin, il ne doit plus rester beaucoup de prédateurs dans les environs. Éliminer le prédateur, c'est affaiblir la faune entière. Ce petit que t'as sous les yeux... Ah!

Amarok est seul. À ses pieds, la Bête blessée se lamente faiblement. Son petit tend la gorge, pousse un cri, presque un sanglot, ressemblant à s'y méprendre au hurlement du loup. Sa voix un peu éraillée l'étonne lui-même. Amarok épaule sa carabine. Seka-Kinyan perçoit deux détonations avec une pointe de regret. Amarok a fait pour le mieux. Peu après, une série de violentes explosions bouleverse l'atmosphère.

Quand Amarok rejoint les autres, le sang cogne à ses tempes. Les évènements l'ont poussé à un geste navrant. Il a dû aussi abréger les souffrances d'un chien agonisant qu'il n'avait pas vu auparavant. Pour la petite Bête, la décision a été plus dure à prendre. Un joli bout de bâtard, rond et doux. Mais diable, bourré de dents de requin et déjà fort capable d'arracher son bout de mitaines d'orignal.

C'est pourquoi il se trouve là, tout tremblant, sous la chemise d'Amarok, à même sa peau, avec son petit cœur qui répond à celui du vieux et s'apaise gentiment dans la chaleur rassurante de sa poitrine. Amarok en est tout remué. L'hybride fragile qu'il ramène, c'est un peu l'enfant né au milieu d'une guerre, il ressemble à l'espoir, c'est la vie, éclatante, qui continue...

Les gens du convoi ne tardent pas à découvrir le museau brun qui se force un passage entre les boutons du gilet. Personne ne risque un commentaire. Quoi qu'ils pourraient en dire, la vue du petit animal est réconfortante.

— *Mush!*

Chapitre 13

Le temps s'écoule au ralenti. Craintifs, les gens se barricadent chez eux. Ils ne sortent que par nécessité absolue, pressent le pas dans la rue, jetant des regards furtifs par-dessus leurs épaules. Le bar ferme plus tôt, on ne chasse plus. La nature entière est devenue hostile ; sa colère imprègne le décor, de la plaine aux horizons montueux, tapie au plus profond des forêts, au cœur des vallées.

Eleanor est de garde sur le toit du magasin. Son regard se perd dans l'observation d'un pic qui fouille l'écorce d'un érable en quête de larves. Soudain, elle tressaille. Une vingtaine de Bêtes sortent du bois d'épinettes et prennent la direction du village.

Jésus-Marie-Joseph !

Apercevant des enfants qui vont à l'école, Eleanor pousse un cri. La rue se vide aussitôt. Où qu'il se trouve, chaque homme empoigne son arme et gagne un toit facile d'accès. Quelques personnes s'enferment chez le forgeron. Akuna, Meungen, Jeff et Joël, le Français, se retrouvent sur le toit de l'entrepôt. Albert, Barton et Peter sont en face.

Sans un bruit, les Bêtes longent la rue, de cette allure admirable que leur confère la noblesse de leur cousin le loup. Une courte fusillade éclate. Grand-Bouleau n'a plus de munitions! La rue offre alors un spectacle désolant. Les Bêtes affamées mangent les morts, les blessés. Un hybride approche de l'entrepôt où sont parqués les chiens. Il renifle au ras du sol. À l'intérieur, les huskies devinant sa présence, hurlent de terreur. Excitée par ces cris, la Bête griffe vigoureusement la porte. De longues fibres de bois pourri s'en détachent. D'autres hybrides se joignent à elle.

Joël soulève le panneau d'accès au toit. Trois mètres plus bas, les chiens bondissent désespérément vers lui. Le Français veut aller les chercher. Akuna l'en empêche.

— Ils sont trop excités. Ils te tueraient.

Il referme la trappe du pied et se penche sur la rue. Son visage n'est que désespoir. Noami se trouve dans la cabane d'Albert, une cabane en bois pourri, comme la plupart des autres. Les hybrides vont creuser la porte de l'entrepôt, égorger les chiens! Après, ah! Dieu, après... Joël pose la main sur son bras. Il a compris.

Akuna détourne la tête, lève les yeux vers la voûte basse du ciel. Ses lèvres blanches et pincées trahissent seules son bouleversement. Et lui qui affirmait être assez fort pour se passer de Dieu, il joint les mains, des mains tout à coup dérisoires face à l'immense tâche entreprise. Pris au dépourvu, il ne sait que dire. Sa prière se transforme en un respectueux silence. Jamais un tel bouleversement ne l'a mené si près du Créateur.

Les Bêtes pratiquent rapidement une brèche dans la porte de l'entrepôt. Rien ne peut les ralentir. Les chiens sont massacrés malgré une résistance désespérée. Bientôt se fait entendre le claquement métallique des mâchoires des Bêtes. Le bruit ignoble met dans la bouche des hommes un goût amer. Puis le silence revient, irréel. Une sorte de calme. Il dure peu. Une Bête griffe la porte de chez Albert. Akuna frémit.

Étrange, la fenêtre vient de s'ouvrir. Une main se tend vers l'extérieur ; quelques boulettes de viande s'en échappent. Une Bête l'avale goulûment. D'autres Bêtes se groupent devant la cabane. Le même geste se répète maintes fois. Les assiégés s'étonnent.

La réponse leur parvient bientôt. La première Bête qui a mangé se roule sur le sol avec des cris déchirants. De sa gueule béante s'échappe un filet de sang. Profitant de son état d'infériorité, trois Bêtes l'assaillent et la dévorent. Toutes les Bêtes qui ont ingurgité cette viande subissent le même sort. Akuna, écœuré par le spectacle, pointe soudain un doigt vers la plaine.

— Regardez! balbutie l'adolescent.

Trois cerfs à queue blanche et deux wapitis sortent du bois. Malheureusement, tous cheminent dans le sens du vent; les hybrides ne les détectent pas. Déjà, la petite bande ne dessine plus qu'une ligne brune serpentant au loin parmi les buttes de neige.

Tout semble compromis, lorsqu'un brame retentit à proximité. Les hybrides tendent le cou. Le chef de meute émet un cri bref. La meute se rassemble et quitte le village d'une foulée souple.

Les hybrides sont partis. Akuna est plutôt content de lui. Sans son imitation de cerf, Dieu sait comment se serait achevée cette matinée. Les autres, trop occupés à scruter la plaine, ne l'ont pas vu faire. Près de lui, le Français, sans crier gare, empoigne Meungen à bras-le-corps et se lance dans une sorte de rigodon qui malmène le plancher. Ce comportement exaspère Akuna. Trente-sept malheureux chiens viennent de se faire dévorer vivants et personne ne pense à les plaindre. Quand Amarok va savoir ça! Il s'indigne.

— Vous allez passer à travers. Quel âge avez-vous donc?

Albert dresse l'échelle sous la trappe. Les hommes descendent. Barton improvise les paroles d'une danse carrée américaine.

— A-van-cez, ten-dez la main, en-la-cez vot' ca-va-lière. Puis vous lui don-nez un bain, en met-tant la jam-be en l'air.

— Le bain ne serait pas plutôt pour le cavalier ? ironise Peter.

— Et alors ? Faut bien que ça rime.

Femmes et enfants sortent de chez Albert, soulignant à leur manière le départ des Bêtes. Kanaraten-Tha, gagnée par la bonne humeur des hommes, entraîne Edith dans un tourbillon rapide qui fait virevolter les grossières robes de laine, découvrant leurs jambes entortillées de peaux de lièvres jusqu'aux cuisses.

Akuna traverse la rue, rejoint Noami, adossée silencieusement contre la porte de chez elle. Il prend ses mains, l'attire contre lui. Elle se laisse emporter par sa tendresse avec un léger soupir. Ils s'enlacent. C'est la première fois que les jeunes gens extériorisent leurs sentiments aux yeux de tous.

La jeune fille serre plus fort la main du garçon qui tremble dans la sienne. Jamais encore elle n'a vu Akuna si désemparé. Joël les observe d'un œil attendri. Il émet un petit rire, ébouriffe les cheveux d'Akuna. Barton propose un café.

Les villageois s'entassent dans le bar où flotte l'éternelle odeur de lard que Barton a l'habitude de cuire directement sur la plaque du poêle. Le magasinier ajoute deux bûches au vieux fourneau qui trône devant le bar et place un chaudron d'eau sur la plaque rougie.

Joël se prépare une courte pipe, Albert ôte ses *kamiks*[1] et les étend près du feu sur une caisse. L'ambiance détendue irrite Akuna. Il pense aux chiens. Il sort, va courir sur la rivière gelée. Quand il retourne au magasin, sa mère n'y est plus. Il en profite pour commander de l'*hutsnuwu.* L'alcool lui donne la nausée.

— Hé, une chance que ce cerf ait bramé, s'exclame Barton.

Akuna intervient aussitôt.

— Y a jamais eu de wapiti en chaleur, surtout avec ce froid. Sa boutade déclenche quelques rires. C'était moi qui bramais.

Akuna forme un cône de ses mains, pouces pliés sur les lèvres. Un son modulé s'en échappe. Un cerf en rut, à s'y méprendre. Meungen le reconnaît.

— Ça ressemble plutôt au *katzibou*, réplique le forgeron sur un ton de plaisanterie. Si t'entends le cerf réer, tu…

— *Shut up!* s'écrie Akuna. T'es si fort, pourquoi t'as rien fait?

La justesse de l'argument ébranle le forgeron. La présence d'esprit d'Akuna les a sûrement tirés d'une déplaisante situation et voilà qu'il le rabaisse

---

1 - NDA: chaussures inuites en peau

une fois de plus. Barton détourne le cours de la discussion hasardeuse en proposant un vieux vin de sa réserve personnelle. Michel, quant à lui, aimerait savoir ce que ces Bêtes ont pu manger de si indigeste.

— Du poison! s'emporte Akuna. Amarok aimera pas ça! Il dit...

— Pas du tout, l'interrompt Kanaraten-Tha. J'ai utilisé un ancien procédé de chasse des hommes de ma tribu.

Les regards admiratifs se tournent vers la jolie femme. L'Iroquoise rougit d'une juste fierté.

— Il suffit de tailler en biseau de grosses arêtes de saumon, puis de les courber. Ensuite, on les enrobe de gras et, enfin, on maintient le tout avec un lien de cuir. Les boulettes sont mises dehors et...

— Compris! s'écrie Joël, enthousiasmé. La graisse durcit, on retire l'attache et c'est prêt. La chaleur du corps fait fondre le gras, l'arête se détend et perfore l'estomac. Fantastique!

— Ignoble, plutôt! s'exclame Akuna. Tu songes à l'incroyable souffrance de l'animal, Kanaraten-Tha? Tu devrais avoir honte! Ce sont des Bêtes, O.K., mais elles méritent un traitement plus humain.

On entendrait parler le vieux. La critique brutale du jeune garçon laisse Kanaraten-Tha désemparée. Et Albert qui n'intervient même pas pour la défendre! Ses yeux s'emplissent de larmes, un sanglot lui échappe. Elle quitte précipitamment le magasin ; mais Akuna réalise vite la peine causée à son amie. Il sort à sa suite, la rejoint au milieu de la rue. Albert sourit. Akuna et Kanaraten-Tha sont dans les bras l'un de l'autre.

Le temps de trois ou quatre bouteilles et l'ambiance ressemble à celle d'une fête. Café et biscuits au sucre circulent sur le bar. Chacun essaie de repousser le cauchemar comme il le peut. Alors, près de la fenêtre, Akuna prend la main de Noami, caresse sa paume du bout des doigts. La jeune fille tremble. Les larmes rendent le mauve de son iris presque transparent. Les adolescents regardent dehors à travers l'intestin de caribou plissé qui laisse à peine deviner la rue. Mais eux, ils voient, bien au-delà des choses. Ils s'emplissent le cœur de visions poétiques sans avoir à parler. Il y a d'ailleurs trop à dire. Eux, ils entendent tellement plus loin que les mots.

Les dernières lueurs du jour sont dissipées par la lune. Akuna enlace Noami. Ils vont jusqu'à la rivière. Des nuages mauves glissent sur la plaine. Akuna sourit, gorge nouée. Les jeunes gens contemplent l'aurore boréale qui embrase le ciel. Du cœur de la forêt s'échappe une vague rougeoyante qui s'élance vers le ciel, s'estompe et disparaît dans la vallée. Le ciel prend l'apparence d'un arc-en-ciel déchiqueté.

Le plaisir dépose ses plus charmants reflets sur le visage de Noami. Elle a l'air d'une enfant qui découvrirait la féerie de Noël, un de ces Noëls comme il n'en existe que dans les histoires. À cet instant, une crinière de feu traverse l'espace, abandonnant dans son sillage des traînées roses qui auréolent les traits délicats de l'adolescente. Une larme file sur sa joue. Le jeune homme n'a d'yeux que pour sa compagne.

— Quelle jolie nuit, dit-elle dans un souffle.

— Si banale, comparée à toi, prononce-t-il gauchement.

Akuna attire Noami contre sa poitrine. Leurs lèvres se joignent. À cet instant, une procession de nuages passe devant la lune, mettant un voile pudique sur leur premier baiser. Le silence les enveloppe.

Chapitre 14

Amarok choisit l'emplacement du bivouac, un boqueteau de pins d'une défense assez facile. La fièvre de Seka-Kinyan a légèrement chuté. Axime et Steven allument plusieurs feux parmi les conifères pour effrayer les prédateurs. Amarok s'occupe des chiens et du jeune hybride. Il leur distribue une grande partie des provisions. Sur la piste du lendemain, le salut dépendra beaucoup des chiens. Axime est révolté. Steven s'amuse des manières du vieux.

— Ces braves petits reçoivent le service à la carte, viande grillée et légumes à l'ancienne, alors que nous…

— Biscuits secs, termine Amarok avec sérieux.

Axime lui mettrait volontiers le poing en travers de la figure. Il ne cesse de penser à son camarade accroché dans un arbre. Steven cogne sur un tronc ses pieds engourdis. Il prend la première garde.

— Une heure, c'est faisable, il fait doux, assure le vieux.

— Ça veut dire que les cailloux vont éclater de rire, bougonne Axime en jetant une poignée de brindilles sur un foyer. Je t'accompagne, Steven, j'ai besoin d'exercice et...ça me fera digérer.

Amarok étale des branches près du feu, se couche et enfouit la petite Bête sous la fourrure.

— Hé! les guignols, actionnez vos culasses de temps à autre. À la réflexion, y a une pointe de fraîcheur dans le vent.

Les hommes s'éloignent. À dix pas du vieux, deux lucioles jaunes s'allument. Une Bête rôde. Amarok ferme les yeux.

✢

Amarok se réveille avec un mal de tête épouvantable. La faim lui tiraille l'estomac. À son âge, se ficher dans une affaire pareille! Le déjeuner est vite expédié. Un café, deux biscuits. Grand-Bouleau se trouve à une journée de marche. Il faut tenir. Amarok étire ses membres ankylosés.

— Départ dans cinq minutes, grogne-t-il en harnachant les chiens. Une détonation le fait sursauter. Il empoigne sa carabine quand Steven apparaît, brandissant un gros oiseau.

— Admirez le beau faisan, claironne-t-il.

— C'est un lagopède alpin, rectifie Amarok. Où tu l'as trouvé?

— Ton loup l'a déniché dans les fourrés. Il allait s'envoler.

— Qui, le loup ? ironise Axime.

Steven lui fait une grimace.

— On pourrait le rôtir avant de s'en aller ? propose Steven.

— Ou le donner aux enfants du village, cingle Amarok.

Le journaliste rougit de colère. C'est bien beau, les enfants, mais lui, il risque sa vie depuis trois jours. Il s'éloigne en évitant de regarder le vieux. Il lui sauterait à la gorge.

Le départ est pénible. De soudaines rafales de neige martèlent les visages, obligent à progresser les yeux à demi clos. Le convoi se traîne. À cette allure, ça n'est plus douze heures, mais trente qu'ils mettront pour rentrer.

Chapitre 15

Les jurons fusent de toutes parts. Albert est catastrophé. Le conseil a décidé d'envoyer un attelage à Tuvaaluk, la Grande-Banquise. Sa voix couvre le tumulte.

— Un voyage de dix semaines, aller-retour, par la piste de Kanaaupscow qui passe à travers le domaine supposé des Bêtes.

Akuna se lève. Il défend habilement sa position, mais c'est sans espoir. Il connaît bien les arguments du forgeron.

— « Akuna, t'es rien qu'un gamin », le singe-t-il. Mais votre piste, moi, je la suivrais les yeux fermés.

— Non ! Au retour du convoi, je me mets en route, décrète Albert.

Les fous qui l'obligent à prendre ce risque !

— Stupide ! s'écrie l'adolescent. T'as pensé à ton poids ? Tu vas crever tes chiens en trois jours. Moi, j'ai une chance de réussir.

Albert cherche ses mots. Le jeune garçon a raison. Pour beaucoup de villageois, l'argument est valable. Albert se laissera-t-il convaincre? Akuna le croit. Quand le forgeron empoigne amicalement ses épaules, il émet un grognement de plaisir.

— Désolé, c'est trop dangereux.

— Satanée tête de bois! lui jette l'adolescent.

La réplique ébranle Albert comme une gifle. Que peut-il opposer à cette jeunesse fougueuse, une jeunesse qui ressemble tant à la sienne? Akuna ouvre la porte. Un air froid enveloppe le petit groupe agglutiné devant le bar. L'adolescent interpelle le forgeron.

— D'abord, tu oublies ce proverbe cree: *Le bon jugement vient de l'expérience.*

— Et toi, la fin de l'énoncé: *mais l'expérience vient du mauvais jugement.*

Les yeux d'Akuna se voilent de tristesse, mais ça n'est déjà plus un chagrin d'enfant. Il ignore simplement de quelle manière exprimer un sentiment violent autrement qu'avec ses poings. Il part sans même claquer la porte.

Eleanor a regagné sa cabane. Akuna doit marcher sur la rivière; c'est toujours ainsi lorsqu'un mauvais souvenir lui met de la tristesse au cœur. Antoine ne se confie jamais à elle, préférant livrer sa peine à Chinook. Mais puisque le loup est absent...

Elle a vu juste. Antoine est dans ses bras. Le temps d'un chagrin, le revoilà vulnérable. Combien de fois a-t-elle souhaité le voir ainsi, rempli d'un désespoir qui le dépouillerait du masque fragile qu'est son arrogance d'adolescent. Malheureux, Antoine lui appartient à nouveau. Elle profite sans retenue de son abandon.

Le jeune garçon est agenouillé devant sa mère, visage enfoui au creux de ses mains. Eleanor caresse tendrement son front, comme avant, si longtemps avant. Sa gorge se contracte. Le passage de l'adolescence à l'état adulte d'un enfant est-il toujours à ce point douloureux pour une mère? N'existe-t-il pas quelque signe qui permettrait de mieux s'y préparer?

Dès que l'adolescent sent contre sa joue la respiration d'Eleanor devenir plus rapide, il l'embrasse à la naissance des cheveux et sort, l'abandonnant à une peine contre laquelle il ne peut rien.

Chapitre 16

La deuxième journée de marche du convoi est difficile. Vivres épuisés, les voyageurs se traînent. Quant aux chiens, leur état est lamentable. Un ostiak est mort de fatigue, une heure après le départ.

Le convoi arrive à Grand-Bouleau au cours de la matinée. Le vétérinaire du village est absent. Qui soignera les hommes et les chiens ? C'est alors qu'a lieu un véritable coup de théâtre. Face aux blessés, Meungen ne peut dissimuler sa profession plus longtemps. Il est médecin ! Le praticien retrouve le plus naturellement du monde les gestes qui s'imposent. Inlassable, il travaille une partie de la nuit sur Seka-Kinyan, nettoyant et recousant les chairs à vif d'un malade à demi conscient. Meungen ne dispose en effet que d'un seul calmant : l'alcool. Afin d'être *anesthésié,* le Cree doit ingurgiter un plein flacon de brandy. Il fait preuve ici d'un grand courage. Durant un instant de lucidité, on l'entendra même qualifier le docteur de couturière. Quant à savoir la raison pour laquelle le docteur avait abandonné sa profession, personne n'ose le lui demander.

❧

Vu le choix restreint de candidats, le voyage vers Tuvaaluk est abandonné, mais celui d'Inoucdjouac est confirmé par tous. En attendant, Albert doit restructurer la surveillance du village. Tant de choses sont à faire. Il faut renforcer les portes des cabanes, se remettre à la chasse et préparer un traîneau pour la grande course. Viennent ensuite les déménagements de ceux qui demeurent loin du centre afin de réduire le nombre de cabanes à défendre. Ainsi que prévu, le cas d'Amarok se montre délicat.

Albert insiste sur le fait qu'un homme de sa trempe sera plus utile chez Eleanor en cas de bagarre. Il consent, « pour rendre service », à ce qui, en vérité, le comble de plaisir. Pourtant, afin de rendre plus authentique son hésitation, il ajoute une condition capitale : garder à l'intérieur du logis la petite Bête et Tanik. En réponse, Eleanor étend une couverture près du poêle. Apprenant la nouvelle, Akuna retourne chez sa mère sans qu'on ait eu à l'en prier.

Chapitre 17

Albert se présente à sa garde avec vingt minutes de retard.

— Désolé Amarok, mais... j'vais être papa. J'ai posé la main sur le ventre de ma femme, et tu sais quoi ?

— Le gamin t'a mordu ?

— J'ai senti un petit coup de poing. C'est un gars, je t'assure.

— Ta chérie est enceinte de combien ? s'amuse le vieux.

— Un mois et demi, qu'elle m'a dit.

Amarok éclate de rire.

— Sacré toi ! À ce stade un petiot fait à peine trois centimètres de long. Kanaraten-Tha doit avoir des problèmes d'estomac. Pourtant, si c'est un gars, je lui enseignerai la boxe anglaise. T'ignores pas qu'à mon époque, j'étais une étoile du ring.

— Du genre étoile filante, je présume.

En dépit de son âge, Amarok dégringole lestement l'échelle.

— Crétin! envoie-t-il du sol. D'abord je te ferai remarquer qu'à cause de ton retard, je sens plus mes doigts. Même que pour me moucher, j'ai failli me crever un œil. Bon. Je vais embrasser maman et causer avec mon petit neveu.

Albert jette une boule de neige que l'autre reçoit en plein front.

Amarok pousse la porte de chez Kanaraten-Tha en fredonnant. La jeune femme le fait asseoir, lui tend un flacon de brandy. Il remplit son gobelet et boit à petites gorgées, claquant la langue contre son palais. L'Iroquoise sert ensuite au vieux une soupe de porc-épic avec une galette de pain shoshone. Ces petits repas chez le forgeron donnent au vieux l'impression de se retrouver en famille. Kanaraten-Tha ne l'ignore pas. Elle entretient finement ce lien fraternel. Il lui sourit.

— Ouais, une naissance, c'est le vrai bonheur du bon Dieu.

❧

Un matin vibrant des chants d'oiseaux, Amarok attelle des chiens.

— Une balade, pour le plaisir, annonce-t-il d'un ton léger.

Quatre heures plus tard, on cesse de l'attendre. Akuna est persuadé que «le sale hypocrite fait la grande course».

Amarok rentre à la nuit, arborant un sourire qui donne envie de fêter son retour et de l'insulter tout à la fois. On le reçoit froidement. Il s'en étonne.

— J'ai un peu tardé, d'accord, mais y a pas de quoi grimper aux rideaux. Je voulais que faire plaisir.

— En risquant la moitié des chiens qu'il nous reste, lance une voix qu'Amarok ne reconnaît pas à cause de ses couvre-oreilles.

Ces paroles valent un coup de poing en pleine face.

— Qui vient d'envoyer la maudite réflexion?

— Moi, réplique calmement Akuna, et je le redis. Ces chiens sont notre survie. C'est pas toi, Amarok, qui m'a appris ça?

Le vieux dissimule sa colère derrière un gros rire et invite les gens à le suivre jusqu'à l'entrepôt où il présente fièrement le contenu de son *komatik.*

Un caribou! Les questions jaillissent. Comment s'y est-il pris, et surtout, pourquoi avoir tant tardé? Son visage s'assombrit. Il tente d'éviter la dernière question. Les gens insistent.

— Il y avait quelques Bêtes près du bois, j'ai fait un détour...

Sans rien ajouter, Amarok leur montre un lambeau de sac aux initiales d'Aubert, un membre du dernier convoi.

— Je pouvais bien attendre mon ravitaillement, laisse tomber Barton en crachant sur le dos d'un chien couché devant le traîneau.

— Le voyage peut plus attendre, s'écrie Amarok.

Albert prend un ton compatissant.

— Amarok, tu es épuisé. C'est à moi de partir.

Le vieux bondit. L'écarter de la liste des volontaires, lui? Alors il parle, comme seul il en est capable, et la magie de ses mots agit. Il fera cette course. Akuna en est écœuré. C'est la seconde fois que le pitoyable bavardage d'Amarok l'emporte. Ce prétentieux lui vole encore sa chance. L'adolescent s'abstient du moindre commentaire. C'est préférable. Ne lui reste que la grossièreté à exprimer.

— Je partirai dans huit jours, lance le vieux. J'achèterai des chiens aux Iroquois. Vous aurez mes directives en temps voulu.

Amarok en tremble de plaisir. Émotion que, bien entendu, il se garde de laisser paraître. Akuna quitte l'entrepôt, frustré. La joie du vieux lui est insupportable. Plaisir de l'un, tristesse de l'autre, l'atmosphère est saturée de tension.

— Parfait! lance Amarok sans raison précise.

Le mot est comme un signal. Le groupe se disloque. Trois hommes se mettent en devoir de dépecer le gibier, les autres vont au bar fêter cette viande inespérée.

Chapitre 18

Akuna endosse sa meilleure vêture, colle soigneusement ses cheveux à la graisse d'ours et va frapper chez le forgeron. Il est trois heures du matin. Albert bâille pour bien montrer qu'il dormait.

— T'es pire que les hiboux. C'que tu veux ?

— Faut que j'te parle, Albert, c'est... c'est urgent.

Ils sont plantés de part et d'autre de la porte, l'un à demi nu, l'autre dans son costume de fête. Le loup dort devant la fenêtre.

— Le voyage ? Garde ta parlote, c'est Amarok qui part.

Albert s'impatiente. L'air glacé lui enveloppe les jambes jusqu'au ventre. L'adolescent entre. Il vient au sujet de Noami. La gorge d'Albert lui fait mal tout à coup. Akuna et Noami. Seigneur !

— Ça serait bien si au printemps, elle et moi, on prenait une cabane ensemble. Je serai pas loin de mes dix-huit ans.

Les deux hommes s'assoient. Ils s'observent intensément. À ce point, il ne reste pas grand-chose à dire. Du fond de la cabane leur parvient un sanglot, puis le rire étouffé de Noami. Un loup hurle dans le lointain. Chinook tend l'oreille. Akuna sort, Chinook le suit. Albert pleure, la tête sur un bras.

L'adolescent et le loup vont marcher sur la rivière, à cent pas du dépôt d'ordures, franchement ! Pendant que Chinook pourchasse les rats avec des grognements, le jeune garçon contemple le spectacle boréal que lui offre l'espace. Il rit aux éclats sous l'œil étonné du loup. Albert n'a pas dit non !

Chapitre 19

Amarok entre dans la *longue maison* iroquoise. Au centre, quatre piquets disposés en carré, reliés par des cordes. Le grand jour d'Amarok est arrivé. Il se bat dans la demi-finale du championnat poids lourd des hauts territoires.

Une foule nombreuse — exclusivement composée d'autochtones — se presse autour de l'arène. Amarok n'a pas soufflé mot de son combat aux gens de Grand-Bouleau. Une défaite lui vaudrait de leur part d'interminables sarcasmes.

Arbre-Vieux fait son entrée, traversant d'une allure assurée le cercle des spectateurs. Sûr de lui, il peut l'être, ce gaillard de vingt-trois ans d'un mètre quatre-vingts, aux muscles durs comme la pierre. Amarok se revoit en lui, il y a quarante ans. Et soudain, l'absurdité de cet affrontement lui apparaît. Amarok va relever un de ces défis sublimes et inutiles dont il a le secret. Akuna a raison. Bien que… Amarok est persuadé qu'il a de grandes chances de l'emporter. Ainsi qu'il l'a dit à l'adolescent, « dans une bagarre, ce n'est pas la force qui compte. Plante tes doigts dans les yeux de l'homme le plus fort du monde et tu as gagné ! »

Akuna le rejoint, un seau d'eau et une serviette à la main. Après d'interminables négociations avec les organisateurs de la rencontre, Akuna est parvenu à leur faire accepter des reprises de quatre minutes suivies d'un repos de deux minutes. Le vieux apprécie. Ces combats d'époque qui durent des heures, sans interruption jusqu'au K.O. obligatoire, ne peuvent que défavoriser Amarok.

Allez ! Arbre-Vieux prend son temps. Il n'appuie pas ses coups, espérant épuiser Amarok pour gagner sans avoir à le frapper durement. Ne sont-ils pas unis comme des frères ? Amarok n'est pas si naïf. Il comprend la stratégie de son adversaire, astucieuse, quoiqu'insuffisante. Mais il connaît ses limites. Il doit envoyer l'Iroquois au tapis dès le début, avant que la fatigue ait raison de lui. Amarok fait mine de respirer difficilement. Arbre-Vieux s'y laisse prendre. Il espère envoyer le vieux au sol d'une poussée. Mauvais jugement. Amarok feinte, passe sous le gant, frappe un coup sec à l'estomac, double de trois coups au menton, puis à la poitrine. L'incroyable se produit alors : le colosse vacille, le regard vitreux. Amarok sait qu'il a gagné. Certes, il y a mis de la fourberie, mais seul compte le résultat. Amarok prouve ici que la vieillesse, ça n'existe pas.

— Finis-le ! Tu l'as ! hurle Akuna au comble de l'excitation.

En effet, Arbre-Vieux est étourdi. Amarok sent une boule dure bloquer sa gorge. Et la lumière se fait en lui. Amarok n'a rien à prouver, mais l'autre est jeune. Il est dans sa tribu ; battu, il devra supporter les moqueries de tous, surtout, celles des jeunes filles qui ne lui pardonneront peut-être jamais d'avoir été vaincu par un vieillard. Arbre-Vieux devra envisager de tourner le dos à ce qui fut sa vie, quitter le village.

Arbre-Vieux lance son poing. Amarok se baisse trop lentement. Le coup l'atteint au menton. Ses yeux se voilent. Le jeune Cree poursuit son attaque par un uppercut et deux crochets à la tête et au corps qui ébranlent Amarok. Durement touché, ce dernier recule. Il s'écroule. La foule compte. 1, 2, 3. Amarok se redresse. 4, 5, il s'agenouille. 6, 7, 8, il se lève, 9, ses yeux se ferment, il retombe. 10 !

Arbre-Vieux fait le tour de l'arène sous les hurlements de la foule. Akuna, furieux, se précipite, relève son compagnon.

— Qu'est-ce qui t'a pris ?

— Arbre-Vieux est mon ami. Je ne pouvais pas lui cogner dessus. Pour bien se battre, il faut ressentir une certaine haine.

— Parfait. Tu ne veux donc plus rencontrer Garrisson ?

Amarok laisse échapper un rire à travers ses lèvres fendues.

— Là, c'est autre chose. Garrisson est un pourri. Il dit des choses déplaisantes sur mon compte. Je lui ferai bouffer ses mocassins !

— En attendant, rentrons, il y a du travail qui m'attend.

Amarok lance un regard amusé à son jeune ami.

— Il n'aurait pas des yeux de biche, ton travail ?

Chapitre 20

Amarok s'agenouille devant le renard roux pris entre les mâchoires du piège. L'os de la patte est broyé. Un lambeau de chair et quelques nerfs retiennent seuls le membre en place. Le renard roule des yeux terrifiés. Le vieux ouvre le piège. Le tronçon de patte reste entre ses mains. Le renardeau s'éloigne en sautillant sur trois pattes. Le cœur d'Amarok se serre. Pauvre petit animal! Amarok le rejoint, l'empoigne par la peau du dos. Le renard tourne vers lui sa jolie tête. Ses yeux brillants ne quittent pas ceux du vieux. D'un tour de main expert, répété mille fois, Amarok lui brise la nuque.

Et cela se produit. Le vieil homme rejette le renard devant lui, se penche, vomit. Enfin, Seigneur! les animaux sont autre chose que de la fourrure! Maudits pièges! Il y a même des trappeurs comme ce crétin de Démy Julliet qui ose les appeler des *pièges sans douleur*. Comme si un trappeur connaissait le mot compassion! Mâchoires de métal ou fil d'acier, la souffrance du gibier est horrible. Le collet arrête la circulation du sang dans le membre pris. La douleur poussera le malheureux animal à sectionner sa propre patte de ses dents afin de se libérer. Et si la proie se fait attraper par le cou, l'étranglement peut durer des heures, voire des jours, avant que ne survienne la mort. Le maudit travail apporte la souffrance aux habitants des forêts. Ses remords deviennent intolérables. Il doit y avoir des façons plus nobles de gagner sa vie.

❧

Quatre jours plus tard, à l'heure où apparaissent les premières étoiles, le village se réunit chez Barton pour les *accordailles*. Noami, adorable dans sa longue robe blanche, et Akuna, grave et timide, sont les héros de la fête avec leurs yeux remplis d'amour.

On boit et l'on mange un peu plus que durant ces dernières semaines, grâce à Barton et à Joël. Le premier a « trouvé » de la farine et des fruits en boîte dans sa réserve poussiéreuse alors que le second a tué un orignal. Une soirée mémorable dont Amarok, étonnamment, se fait le boute-en-train. Il anime les groupes et relance les dialogues qui mollissent, à court d'arguments. Les fiançailles de son petit, c'est quelque chose!

Akuna, par bravade, abuse d'un alcool de bleuets iroquois que Barton distribue généreusement. Le jeune homme est un peu ivre. Eleanor ferme les yeux. Bouleversée, elle se force à sourire. Aucune place ici pour la mélancolie. Elle rit à noyer ses yeux de larmes. Personne ne devine qu'elle pleure de tristesse. Un jour, Antoine partira. Et lui qui s'enivre. Il tente même d'emprunter la pipe d'Amarok.

— Elle est pleine d'herbes, mon gars. T'y prendrais goût.

— Ça veut dire que c'est bon.

— Au contraire. Ça donne une force trompeuse qui te prend au piège comme une pauvre bête. Tu te crois réchauffé alors que ça bouffe tes calories. L'alcool, le tabac et les herbes, ça tue les sensations du corps, les émotions du cœur.

— Pas mal compliquée ton histoire. Bah! Garde-le ton foin. Un jour, je fumerai seul.

— T'auras tort.

— Tu le fais bien, toi.

— Pis j'ai tort.

— Tu dis n'importe quoi.

Agacé, Akuna murmure quelques mots à l'oreille de Noami. Ils sortent. C'est à peine si on remarque leur départ.

Chapitre 21

Les Bêtes rôdent autour du village depuis quarante-huit heures. On devine parfois leurs ombres fuyantes à travers les épinettes. Les gens empruntent le couloir de la rue avec appréhension. Ils scrutent la forêt, regardent souvent par-dessus leurs épaules et leurs os se glacent. En montagne, un loup gris pousse les hurlements de son dernier combat. L'hybride asservit le Nord !

Soudain, l'air est déchiré par les notes aiguës d'une corne de chasse. Les Bêtes envahissent le village !

Lola, la fille de Peter, et Noami, sont dans la rue. Joël est seul au bar. Il empoigne une pelle, premier objet à sa portée, et se précipite dehors où Albert et Jeff, tomahawk et couteau à la main, luttent déjà contre cinq Bêtes. Entre eux, les jeunes filles se blottissent l'une contre l'autre. À coups de pelle, le Français les rejoint. Il leur faudrait se replier vers le bar ; mais des Bêtes se massent à l'entrée.

À cet instant, Akuna jaillit de chez sa mère avec Chinook et se jette dans la bataille, une hache à la main. Dans le feu de l'action, le jeune garçon n'a pas remarqué la présence des adolescentes. Une Bête lui bondit à la poitrine, l'entraîne à l'intérieur d'un cercle menaçant. Noami hurle son nom. À ce cri, Akuna se déchaîne, hache tournoyante. Il prend d'énormes risques. Noami a besoin de lui ! Un groupe de Bêtes surgit de la forêt, se joint à la bataille. Attaqué de toutes parts, Akuna sent ses forces décliner. Chaque abat de son arme est ponctué du « han » sonore des bûcherons. Une Bête ramassée sur le ventre s'apprête à bondir sur Noami. Celle-ci prend peur, tente de fuir, tombe. Trop éloigné pour intervenir, Akuna prévient Albert d'un hurlement.

Le forgeron, séparé des adolescentes par deux Bêtes, tente une action désespérée, mais la masse des adversaires agglutinés autour de lui est trop compacte. Et c'est le drame. La Bête saisit Noami à la gorge. Horrifié, Albert se trace un chemin sanglant jusqu'à elle et, d'un magistral coup de poing, brise la nuque de la Bête.

Noami est couchée aux pieds d'Akuna, les yeux ouverts sur l'infini. L'esprit de l'adolescent est vidé de toute substance. Il souffre d'un mal étrange qui surpasse tout ce qu'il a connu. Les beautés du monde se sont dissipées avec l'âme de son amie.

Le jeune homme ne pleure pas. Sa détresse est trop vive; trop invraisemblable est l'orientation que vient de prendre sa vie. Lorsque le but tracé disparaît d'un seul coup, que reste-t-il à l'homme pour guider ses pas?

La douleur le désoriente, ébranle jusqu'à son esprit. Ce qu'il possède comme souvenirs de leur amour? Un baiser sous la lune, une lettre qu'il est incapable de lire, leurs doigts croisés dans une salle de classe et un repas de fiançailles. Cela est-il suffisant pour rebâtir sa force? Akuna lève les yeux vers le ciel. Quand une aurore boréale se disperse, elle abandonne dans son sillage un vide indescriptible, pareille à celle que la mort de Noami laisse en son cœur. Akuna suit des yeux la course d'un nuage en forme d'oiseau. Un vent léger le transforme en sourire. Le souffle d'air traverse les cèdres jaunis, produit un murmure, un mot d'adieu...

Chapitre 22

Sapristi ! Amarok jette le bol à travers la pièce. La première fois, en quarante ans, qu'il gâche une pâte à pain. Maudit gamin ! Depuis la tragédie, Amarok a réintégré sa cabane. Dans celle d'Eleanor, la tension devenait insupportable. Akuna ne surmonte pas son deuil. Il est devenu violent. Il a même osé insulter le vieux. Une chose inacceptable. Que l'enfant soit plein de souffrance est concevable, mais son attitude finit par démolir les nerfs. Amarok a donc regagné son chez-lui et le petit salopard en a profité. Il a filé pour Inoucdjouac ! Seul.

Une course de quatre semaines au minimum, dans un froid terrible, sur une piste mal tracée, à travers une forêt pleine de prédateurs monstrueux…

Désemparé, Amarok se plante devant sa fenêtre. L'aube a mis sur la toundra de fines nappes de brouillard qui se déplacent au ras du sol, y effaçant jusqu'au plus modeste détail. Les images deviennent incertaines. Il essuie ses larmes d'un coup de manche. Akuna a quand même eu l'idée d'emmener Chinook. Presque un gage de réussite.

⁂

L'urgence de la situation réunit les villageois dans le magasin. Albert et sa famille n'y assistent pas. Ce matin, on ne boit pas et, quand Barton laisse mourir le feu, personne ne se plaint. Eleanor a l'impression de se trouver face au tribunal qui va juger son Antoine.

— Un orgueilleux inconscient! s'indigne le journaliste.

— Ridicule, objecte le Français. Il veut faire ses preuves. Et n'oubliez pas la mort de la petite. Ce gamin souffre.

Le vieux préfère ne pas intervenir. Tous des imbéciles! Axime traite Akuna d'irresponsable et le gars de France jacasse sur la noblesse de son action. Des mots! Amarok se lève.

— C'est nous tous qui l'avons poussé à ce geste. Un jeune, faut l'apprécier pour ses efforts, pas juste ses réussites. On n'a pas le droit de rire d'un enfant ni de le comparer à quelqu'un de meilleur que lui. Des gens ici se moquaient de sa jeunesse comme si c'était une difformité. Noami ne le brusquait jamais. Il n'avait rien à lui prouver. Sa fiancée morte, ne reste au garçon que la course.

Amarok laisse librement couler ses larmes. Sous le comptoir, Eleanor glisse ses doigts entre les siens. Ce contact les apaise tous les deux. Attendre ensemble sera moins difficile.

Amarok regagne sa cabane. Il recherche la paix dans la beauté du paysage. L'adoucissement de l'air durant la tempête matinale a plaqué sur les arbres une parure de glace scintillante. Au bout d'un rameau, deux sittelles à poitrine blanche se plaignent avec des criaillements d'oiselets. L'œil d'Amarok parcourt avec mélancolie ce paysage de bout du monde. Il n'y trouve pas d'apaisement.

Soudain, il les voit. Une quinzaine de Bêtes remontent la piste d'Inoucdjouac, celle d'Akuna! Son cœur cogne un grand coup. Que peut faire un adolescent inexpérimenté avec six heures d'avance sur des prédateurs infatigables? Amarok laisse tomber les bras le long de son corps. Il est tellement las.

Pour la première fois, Amarok songe à quitter le Nord. Sans Akuna, à quoi bon s'accrocher à ce satané pays. Il n'ignore pourtant pas que s'il en arrivait à cette extrémité, subsisteraient en lui les images obsédantes d'interminables pistes. Il reprend sa route d'un pas incertain, entre chez lui. Amarok se plante devant la fenêtre en vraie vitre du salon. Il n'y en a que deux au village.

Il a envie de passer le poing à travers. Le jeune hybride livré à lui-même ronge un pied de la table. Le vieux s'agenouille devant Tanik qui pleurniche près du poêle. Il enserre le museau de la louve de ses grosses mains tremblantes.

— Tu t'ennuies de ton loup, ma belle ? Il pouvait t'emmener aussi ce méchant gamin. T'aurais pris soin de lui, tu l'aurais protégé, ce petit salopard, dis ?

Les sanglots d'Amarok sont mêlés de mots d'amour et de malédictions. Par la porte restée ouverte, la neige s'engouffre en hurlant dans le logis, vagues tourbillonnantes qui s'accumulent au centre de la pièce, sur les jambes du vieux.

Chapitre 23

Le vent de la course cingle durement le corps d'Akuna, s'insinue par les moindres ouvertures de son parka. Mais l'adolescent ne sent pas le froid. Il s'abandonne à la griserie d'une aventure qui lui fait un peu oublier la mort de Noami.

Depuis toujours, Akuna voulait vaincre la toundra par ses propres moyens, dans l'espoir de mieux comprendre l'action aberrante de son père. Ce matin encore, tout imprégné de son mal, il croyait que la mémoire de Noami réclamait de lui quelque sacrifice, un exploit ou carrément le don de sa vie. Sept heures de fuite solitaire et les nobles motifs n'existent plus. Il court pour la beauté du geste, pour son seul plaisir, sa fierté.

Devant lui, l'haleine des chiens forme une colonne sinueuse. Les ombres de la plaine, l'éclat de la lune fouillant les vallées, les mille parfums du ciel et de la terre font un ensemble émouvant qui le mène à une euphorie jamais encore éprouvée. Akuna parle seul ou à Chinook, rit sans raison. L'incroyable voyage se transforme en jeu plaisant. Depuis le départ, il n'a pas encore bivouaqué. Il pousse trop les chiens, c'est vrai, mais la possibilité de voir surgir Amarok existe toujours. Il flânera plus tard.

Sur ce chemin de glace, Akuna se transforme, des muscles de son corps aux plus modestes cellules de son cerveau. À travers un décor tourmenté de ravins et de montagnes, de plaines et de forêts, le garçon court derrière ses chiens-loups, une joie sauvage au fond des yeux. Akuna défie les hautes terres ! Au milieu de ce cadre grandiose, l'adolescent se découvre avec orgueil. Il ne devient pas, il est. Un grand loup des bois conduit le train, avec des jappements graves qui se terminent parfois sur un soupir, comme un rire. Akuna n'a pas le temps de pleurer ni celui de trembler. Le loup grogne, un peu las, déjà. Akuna laisse faire. À quoi bon économiser les forces ? Amarok a bien fait les choses. L'attelage déborde de puissance. Les blessures du loup sont refermées, quant à lui, lui...

— Va, mon Chinook !

Akuna s'accommode bien de la solitude. On la dit pourtant plus cruelle encore que la faim ou le froid car elle oblige l'homme à faire un retour sur lui-même, à remettre en question jusqu'à l'utilité de sa propre vie. La mort de Noami a profondément modifié ses perceptions de l'univers. Akuna ne craint plus les masques hideux dissimulés parmi ses souvenirs ni les redoutables mystères du temps ou de l'espace. Il a déjà cheminé au bout de toutes les angoisses dès sa plus tendre enfance. Celui qui vit intensément n'a pas le temps d'être craintif.

❧

Akuna fait halte. Dorénavant, ils peuvent aller en toute quiétude. Personne ne les rattrapera. Akuna fait un feu, s'occupe de ses chiens et mange. L'odeur du foyer l'enivre, comme si le vieux fumait son herbe à proximité. Akuna peut alors se consacrer à son cher souvenir. Il remonte prudemment le temps, ne sachant pas contrôler les émotions que la tragédie a jetées pêle-mêle en son esprit. Chinook à ses côtés, et peut-être Dieu aussi, il se sent invincible.

— Beau loup !

L'animal lance un cri bref, ébouriffe sa fourrure qui se gonfle d'air. Ainsi isolé du froid, le loup se pelotonne dans son trou de neige, nez et pattes sous la queue, avec un grognement de chien content. Akuna ferme les yeux. Sa tête glisse sur son épaule. Il s'assoupit. Les flammes sculptent des ombres qui s'agitent sur son visage. Un petit *ondatra*[2] vient grignoter les débris de biscuits éparpillés près de lui. Une traînée multicolore déchire le ciel. C'est l'oubli de la nuit.

---

2 - NDA : une loutre

Chapitre 24

Le jour se lève. Assis contre un brise-vent de toile, Amarok est de garde sur le toit du magasin. Depuis le départ d'Akuna, il dort mal, mange peu, n'a de goût pour rien. Des aiguillons de glace transpercent tous les muscles de son corps. Pourquoi a-t-il accepté de prendre la garde, alors que toute la nuit précédente il a toussé à s'en déchirer la gorge? Lui et son satané orgueil. Ses bras sont engourdis jusqu'à l'épaule. Lorsque, plus tôt, Kanaraten-Tha lui a tendu une couverture, il s'est gentiment moqué d'elle. À présent, Amarok donnerait gros pour un coin d'étoffe. Voilà que ses jambes s'ankylosent à leur tour. Plus question de descendre l'échelle.

La suite de l'histoire, Amarok la connaît. Il a vu son meilleur ami mourir gelé. Amarok a l'impression que le froid s'intensifie. La vérité est plus simple. Son corps épuisé perd sa chaleur. À partir de là, dormir, c'est mourir. Que laissera-t-il ? Des voyages, quelques bagarres, deux ou trois découvertes étranges au pays des glaces éternelles. Pas grand-chose en vérité. Il aurait tant souhaité s'en aller dans une action glorieuse. Au lieu de cela, il va finir misérablement sur un toit venteux, comme un vagabond dans une ville du Sud. Akuna lui vole aussi sa postérité. La fatigue l'anéantit. Sa respiration s'accélère. Une ombre se fixe devant ses yeux brûlants de fièvre.

— Amarok, tu vas pas nous faire ça ? Mourir à ton âge, voyons !

Il ouvre les yeux. Grand Dieu ! Akuna est penché sur lui.

— T'es revenu !

Le vieux sourit. Une onde de chaleur le submerge. Les couleurs de l'aurore boréale s'éparpillent sur la toundra. Une rafale de neige traverse la forêt. Au passage, elle emporte le visage d'Akuna. Amarok referme les yeux. Ses larmes gèlent, collent ses paupières. Dans le bois, un hurlement de loup. Le vieux sourit dans sa tête.

Joël entre dans le bar avec Amarok inconscient jeté en travers des épaules. On l'installe aussitôt sur une table près du poêle. Deux hommes le déshabillent et frictionnent ses membres à l'aide de paille imbibée d'alcool. Amarok ouvre les yeux.

— Akuna ?

— Laisse-lui le temps de se rendre là-bas, souffle Axime.

Barton secoue la tête en grognant, accrochant les habituelles grossièretés à son bavardage. Le docteur lui fait face, l'air navré.

— Vous lui dites ? questionne le magasinier. Faut couper, non ?

Amarok surprend les mots. Il y a quelque chose à enlever ! Anxieux, il fait jouer ses muscles. À part certaines extrémités, tout semble fonctionner. Il voit le docteur affûter son scalpel sur un cuir de barbier. Quand Meungen s'approche, Amarok tend les mains.

C'est terminé. Le vieux maîtrise la douleur sous ses mâchoires comprimées. Il lui manque quatre doigts et trois orteils, enlevés à vif. Il rentre chez lui. À peine si on l'entend gémir, si on le voit boiter. Amarok ajoute ici de la noblesse à sa légende.

Chapitre 25

Le *komatik* file sur la neige épaisse. Akuna est épuisé, mais il ne ralentit pas son rythme pour autant. En poussant l'allure au maximum, l'adolescent désire évaluer sa résistance, ne songeant pas à quel point ce genre d'expérience peut s'avérer néfaste. Après une course menée à un train d'enfer, Akuna décide une halte pour reposer son attelage. Un bref jappement de Chinook et les chiens obéissent. Tous craignent le grand loup, depuis le jour où il a malmené deux toganees qui tentaient de lui dérober sa nourriture. Malgré le redoutable caractère de Chinook, Akuna aime ce bel animal dont l'œil s'anime parfois d'une lueur douce. Le jeune homme pourrait affirmer que le prédateur dissimule son bon naturel sous un aspect farouche.

Ces rapports amicaux qui existent entre l'adolescent et le loup ne font qu'attiser la jalousie des chiens. Les querelles, fréquentes, dégénèrent souvent en batailles rangées sanglantes. En résultent de nombreux blessés. À cause de ces handicapés, les étapes quotidiennes sont plus courtes.

Akuna distribue un poisson à ses chiens puis se remet en route. Et la tempête s'abat sur eux, projetant sur le jeune homme un froid qui colle les paupières aux yeux, brise le cuir des harnais, fait éclater les arbres comme fétus de paille. Akuna ne s'en plaint pas. La basse température durcit la neige, permettant une course rapide.

Au fil des jours suivants, Akuna allonge les étapes. La fatigue des chiens atteint un point critique. Il ne s'aperçoit de rien, trop absorbé par son but : devenir une légende nordique, surclasser Amarok ! Déjà le crépuscule enlève ses contours à l'horizon, efface les couleurs de l'espace. Bivouac. Akuna fait du feu et se prépare une soupe de fèves. Il ne lui reste que cela. Pour l'attelage, le poisson devrait suffire.

Autour d'Akuna, les chiens dorment dans leur trou de neige. Le vent agite les sapins au-dessus de sa tête. La douceur de l'air et l'euphorie de l'instant lui mettent soudain en tête une étrange idée. Le voici debout, prêt pour quelques kilomètres de plus.

Il est en route. Aussi loin que court son regard, s'étale l'inconnu, une nature secrète, cruelle et fascinante. Dix minutes plus tard, Chinook s'agite. Ne désirant prendre aucun risque, Akuna pèse sur le frein. Tout semble normal. Mais le loup gronde. L'adolescent découvre alors une série de traces profondes un peu en dehors du chemin : les *erres* d'un ongulé !

Il désengage le frein et quitte la piste. Akuna ne voit pas les longues traînées brunes qui jalonnent son chemin. Du sang frais ! Il n'est pas seul à convoiter la proie.

Autour d'eux, le décor s'estompe. Les détails du paysage disparaissent aussi rapidement qu'avance le *komatik*. Le soleil colle sur l'horizon une trainée rouge qui palpite comme un cœur.

Chinook se faufile à grand-peine entre les arbres. Les traces deviennent difficiles à suivre. Akuna s'arrête. À seulement trois kilomètres de là, le caribou convoité succombe sous les crocs d'une bande d'hybrides.

Tant bien que mal, l'adolescent installe son bivouac. Le vent violent lui refuse le réconfort d'un feu. Le jeune garçon fait manger son attelage, ramollit sous sa chemise quelques galettes de *bannock*, mange et s'enroule dans ses fourrures. Chiens et loup s'agitent dans leurs trous. Le découragement s'empare d'Akuna. Tuvaaluk se trouve encore si loin.

Quand le vent tombe, Akuna s'empresse de faire du feu. Grognant de plaisir, il se laisse gagner par la magie de l'instant. Les bûches qui brasillent l'hypnotisent. Les flammes deviennent loup bondissant, masque guerrier et Noami, mais si vite...

La fumée porte un goût de tarte à la cannelle et les parfums de la forêt. Akuna ferme les yeux. Chinook quitte son alvéole de neige et vient poser un mufle tiède sur sa main nue. Akuna s'enfonce lourdement dans le sommeil.

Tout à coup, averti par un pressentiment, Akuna se dresse sur sa couche. Ils sont là! Une douzaine d'hybrides se pressent silencieusement devant le bivouac. Et les chiens... Chinook? Disparus, tous!

Les Bêtes se rapprochent. De leurs gueules goutte un sang noir. Le jeune homme ne réagit pas. La peur est trop forte. Le centre de la meute s'ouvre. Akuna aperçoit un corps allongé sur le ventre au milieu des Bêtes. Le cœur battant à grands coups, le garçon s'en approche. Les Bêtes le laissent passer avec indifférence. L'adolescent se penche, retourne le cadavre...

Seigneur Dieu, pas ça! Un hurlement démentiel jaillit de sa gorge. Ce corps déchiqueté, c'est lui!

Cette manifestation de sa peur l'anéantit. Il serre les poings. Sa main rencontre la fourrure du loup qui dort près de lui. Akuna y enfouit les doigts avec une joie de petit enfant.

Chapitre 26

Savoir une meute sur les traces d'Akuna bouleverse les villageois. Amarok ne tient plus en place. Dès le lendemain, raquettes aux pieds, en compagnie de Joël, il remonte la piste de l'adolescent. Quatre jours plus tard, les deux hommes ramènent des nouvelles rassurantes. Les Bêtes aperçues par le vieux n'ont pas suivi Akuna. Le Français s'enthousiasme.

— Imaginez qu'on n'a pas trouvé l'emplacement d'un seul bivouac. Ses chiens font même leurs besoins en courant. Il est incroyable, ce jeune !

Amarok laisse dire. Il est pourtant loin de partager cet optimisme. Une piste non tracée se prête mal aux performances. Akuna exige trop des chiens. Personne, hélas, ne s'en rend compte. Le vieux ne livre pas ses doutes. Inutile d'inquiéter Eleanor davantage. La jeune femme a proposé au vieux de revenir vivre chez elle. C'est irréaliste. Il y a les convenances à respecter, invoque-t-il. Mais son refus était motivé par une plus délicate raison : la peur de perdre Akuna fait parfois sangloter le vieux désespérément. Ce genre de faiblesse n'a pas besoin de témoin. Et il y a Tanik qui pleurniche toute la journée après son Chinook. Un autre sujet d'inquiétude. La malheureuse manque de souffle, elle enfle de partout. La voilà qui meurt de chagrin. Akuna le sait pourtant qu'on ne sépare pas un couple de loups. Ça tue les deux. L'insensé ! Il aurait dû prendre Tanik aussi, il aurait dû.

Amarok bourre le poêle jusqu'à la gueule, monte le tirage à fond et va s'asseoir près de la louve. Elle pose le museau en travers de ses cuisses. Il prépare sa pipe, juste des herbes, pas un brin de tabac. Jamais il n'aurait cru que cet enfant lui donnerait un tel souci.

Une rafale mugissante s'engouffre par le tuyau de la cheminée, refoulant une neige noire de suie à l'intérieur du logis. La louve tousse à ce point qu'Amarok s'affole. Il bondit vers la porte, ouvre. Le froid le saisit. Une bourrasque le gifle. Il suffoque et reste là, bras ballants. Dehors, dedans, quelle importance, la tristesse est partout. Elle colle à la peau, à la toundra ; elle se glisse dans les plus douces vallées, au plus sombre des forêts. Rien n'est plus comme avant.

Amarok jette la pipe dehors avec un grognement exaspéré. Sa tête lui fait mal, la nausée lui retourne l'estomac. Saletés d'herbes !

☙

L'adolescent harnache son *kimuksit.* Il neige. S'orienter ce matin ne sera pas facile. En l'absence de soleil, Akuna sait pourtant *lire* l'écorce du bouleau, plus sombre face au nord, faire *parler* les mousses et les lichens qui grimpent à l'ouest des troncs. Il n'ignore pas que, sous l'écorce, l'insecte vit du côté sud. Mais l'anxiété lui brouille l'esprit. Après deux heures d'une course endiablée, Akuna est égaré !

— Chinook, trouve la piste.

Le jeune garçon fait bien de s'en remettre à l'instinct du loup. Il rejoint rapidement la piste de Grande-Baleine, à l'endroit précis où il l'avait quittée la veille. À ce moment, les chiens ralentissent. Le garçon met leur réaction sur le compte de l'épuisement. Le train de Chinook a été rapide. L'adolescent commande l'arrêt, puis dételle les chiens. Il s'apprête à les nourrir, lorsque, d'un même élan, ils s'élancent sur la piste, le loup devançant la meute. Ils l'abandonnent !

— Chinook, reviens !

Et il le voit, à cent mètres, un jeune caribou qui se dandine sur ses longues pattes. Akuna s'assied sur son *komatik,* découragé. Il n'y a rien à faire. Le caribou n'a aucune chance contre ces chiens, pas plus d'ailleurs que lui n'en aurait. Une viande qui lui aurait duré près d'une semaine ! Le caribou est mort. C'est alors que se produit un fait qu'il n'aurait jamais cru possible. Chinook, dressé sur le flanc de l'animal, tient la meute à l'écart malgré les plus vigoureuses attaques. Brandissant son fouet, l'adolescent s'élance. Lorsqu'il parvient à séparer les combattants, les pertes sont élevées. Le loup est blessé au cou et au dos, et deux chiens sont mal en point, dont un qui ne pourra assurément pas reprendre le travail avant trois jours, s'il en réchappe. Malgré l'incident qui va handicaper l'attelage, Akuna est heureux. L'adolescent découvre matière à s'extasier jusque dans l'infini détail de l'existence. Akuna ne subit plus le Nord, il s'impose à lui. Demain, il sera plus célèbre encore qu'Amarok.

Il a suffi de quelques beaux matins, du cri des chiens et des odeurs de la forêt pour le guérir d'une maladie longue comme sa vie. Loin des hommes, il apprend à mieux les connaître. Akuna court quelques heures de plus et fait halte pour la nuit.

Le campement est dressé en cinq minutes. Akuna avale un repas copieux et s'allonge sur un lit de brindilles. À vingt pas, les parois rocheuses d'un canyon se fragmentent bruyamment. Des traînées bleues parcourent le ciel, vives comme des feux follets. Akuna s'endort paisiblement, mais le loup gronde, les chiens s'agitent. Les Bêtes sont là.

Chapitre 27

À l'aube de cette vingt-huitième journée, le moral d'Akuna est fragile comme une glace de printemps. La course accuse un retard sur ses prévisions. Rien ne va plus. Son meilleur chien est mort dans une bagarre, les autres n'en peuvent plus. Le voilà proche de la défaillance. Réserve de viande terminée, l'attelage n'a de poissons que pour trois repas. De plus, le garçon a inutilement brûlé les cartouches de sa garde contre une Bête qui les suivait depuis le matin.

Le *komatik* pénètre dans un bois. Inexplicablement, l'attelage ralentit. Les pins ployés sous la neige se rejoignent au-dessus du chemin pour former un sombre couloir. Akuna s'inquiète. Est-ce une odeur amicale qui alerte ses chiens ?

L'attelage se met au pas. Akuna pèse sur le frein. Les crampons mordent la glace avec un crissement aigu. Chinook se raidit, seules ses oreilles s'orientent de gauche et de droite, à la recherche des sons. Un grognement léger roule dans sa gorge. Il s'ébroue, sa fourrure se gonfle; il devient gigantesque, une sorte d'ours. Un danger menace. Akuna scrute la forêt qui les cerne. La neige danse sur le paysage, en masque les détails. Il n'aperçoit rien de suspect. Jusqu'à ce que… Dieu du ciel! Sur la piste, une meute de Bêtes! Impossible de fuir. Il ne pourra résister longtemps avec ses chiens épuisés. Et lui, qui ne vaut guère mieux! À dix pas se trouve une élévation de terre. Cette position serait plus facile à défendre que le chemin bordé de fourrés. Le jeune garçon descend du *komatik.* Sa peur est effroyable. Il a envie de vivre, il risque seulement de mourir. L'heure n'est pourtant pas aux regrets. Sa course ne signifie plus rien. Depuis toujours il a voulu savoir ce qui avait motivé son père durant sa détestable action… À présent, il sait. C'était par une nuit de tempête, semblable à celle-ci. Leur convoi se composait de trois familles. Les ténèbres écrasaient êtres et choses. Autour d'eux, rodaient des animaux étranges, probablement les premières Bêtes qui envahissaient la région. Son père, durant sa garde, avait entassé sur un *komatik* la quasi totalité des provisions du convoi et s'était enfui. Un seul témoin de cette trahison: son fils, Akuna! Au matin, on avait retrouvé les restes déchiquetés du misérable.

Seul face aux Bêtes, Akuna comprend ce qui a poussé son père à ce geste navrant. Sa terreur l'avait dominé. Une émotion humaine compréhensible; seule l'action qui suivit ne l'était pas. Akuna réalise avec stupeur que ce père qu'il avait cru haïr, cet homme qui le battait si durement, il n'avait en fait jamais cessé de l'aimer. Pardonner est plus simple qu'il ne l'imaginait.

Craintifs, les chiens se rapprochent de lui. Chinook reste impassible. Il sait ce qui l'attend et se prépare au combat. L'adolescent tranche tous les harnais. Ses nerfs se relâchent. Pour un peu, il se sentirait bien. C'est la seconde fois qu'il met sa vie en jeu si totalement. L'expérience le grise malgré lui.

Les Bêtes se mettent en marche, silencieuses. Akuna empoigne la longue hache qui ne quitte jamais son traîneau. Cette arme fermement tenue, il se met au milieu de son *kumitsit*. Sans attendre, Chinook se rue de l'avant. Une attaque foudroyante. Quand il s'écarte, son adversaire agonise. À leur tour, les chiens se précipitent, bousculent la muraille de poitrines et de crocs dressée devant eux. Malheureusement, malgré leur vaillance, ils ne sont pas de taille à tenir tête à ces gigantesques adversaires. Akuna recule vers la butte, Chinook et ses derniers chiens étroitement collés à lui. Le jeune garçon crie à pleins poumons, le cœur imprégné d'une émotion sauvage. Il vit avec une intensité qui le bouleverse. L'ampleur du danger le survolte, met en son esprit une fantastique lucidité. Tout ce qu'il a cru jusqu'à ce jour ne signifie plus rien. Le monde prend une autre dimension. En vérité, cette connaissance suprême qu'il recherche si intensément n'est que l'humble chemin qui conduit à la mort. Les ultimes minutes d'une vie…

L'ardeur qu'il applique à cette soif de savoir le rend à ce point redoutable que la meute hésite. Dix pas encore avant d'atteindre le sommet de la colline. Il en est férocement repoussé par trois Bêtes. Akuna glisse en essayant de faire face à une attaque de côté. Il se retrouve sur le dos. Une Bête, aplatie face à lui, bondit. Chinook l'intercepte au passage. Akuna se relève vivement. Ça y est! Il atteint la petite butte de terre, un espace dégagé qui domine le chemin de plusieurs mètres. Akuna redouble ses coups. Hélas! Des hybrides arrivent de tous côtés, comme si chaque Bête abattue en enfantait plusieurs autres.

À l'insu d'Akuna, le jour prend fin. Le soleil, crête flamboyante du crépuscule, s'accroche à l'horizon, alors que l'est s'enfonce dans les ténèbres. Les ombres frénétiques du combat se détachent sur l'horizon de feu, vision fantastique d'une lutte antédiluvienne. Le cercle des Bêtes se rapproche encore. Le loup est couvert de blessures, pourtant, à lui seul, il équilibre le combat. Devant la menace qu'il représente, les Bêtes s'unissent. Cette tactique entraîne le loup fidèle vers sa dernière bataille.

Chinook! Akuna est au désespoir; la lourde hache se fait pesante entre ses bras rompus de fatigue. Le nombre de chiens s'amenuise encore. Ilik, Nanuk sont tombés. Soudain, le loup tend l'oreille. Un cri joyeux s'échappe de sa large poitrine. Il creuse les reins, majestueux, dédaignant les Bêtes qui le harcèlent. Son hurlement retentit, féroce et beau. Durant quelques secondes, les Bêtes se figent, impressionnées, semble-t-il, par l'adversaire magnifique. Dans le bois, de semblables cris répondent à ceux du loup. Dieu du ciel! D'autres Bêtes s'engagent dans la mêlée. Akuna vacille, vidé de ses forces. Il reçoit dans le dos un choc violent. Une Bête s'accroche à son épaule. Il est trop las pour réagir. Sa hache lui échappe.

L'hallali a sonné! Dans sa tête douloureuse, les évènements de sa vie repassent à un rythme dément. Il essaie en vain de retenir une pensée, un visage; mais Akuna n'a plus droit aux souvenirs: ils sont devenus futiles. Des dents acérées traversent son parka, pénètrent sa chair. Mais qu'importe la douleur, son esprit est occupé par un fouillis d'images, de souhaits non exaucés. Le regard d'Akuna effleure sans le voir le sommet bleu des montagnes. Ses jambes se dérobent, il est à genoux. Les crocs terribles fouillent les muscles de son épaule jusqu'à l'os.

C'est alors que le délire de la mort met devant ses yeux une scène qu'Amarok seul donnerait pour réelle. Quatre loups gris sortent du bois. Chinook tombe. Une grappe de Bêtes renverse Akuna. Il s'abandonne à la furie du Nord. Il ne sera donc jamais le meilleur meneur de chiens du pays. Diable...

Chapitre 28

Akuna ouvre les yeux. Un son rauque s'échappe de ses lèvres entrouvertes.

— Le malheureux agonise! murmure l'Iroquois penché sur lui.

Le corps meurtri d'Akuna est parcouru de douleurs lancinantes. Chacune de ses respirations lui arrache une plainte. Pourtant, le grondement qui sort de ses lèvres et alarme l'homme des Premières Nations n'est pas un râle, c'est un rire naissant.

— J'ai… réussi. Elle est... bien bonne.

— Ce diable d'homme trouve ça drôle! s'exclame l'Iroquois.

Akuna referme les yeux, apaisé. On l'appelle « diable d'homme». Il en gémit de contentement. Qui au village aura encore l'audace de se moquer de sa jeunesse?

Ce sont quatre villageois d'Inoucdjouac qui viennent de découvrir Akuna. Ils remontaient sa piste quand leur est parvenu le tumulte du combat. Quelques balles bien ajustées ont mis les Bêtes en fuite.

— Sacrée chance qu'on soit arrivés! s'exclame un des hommes.

— *¡Por Dios!* une chance? répète un solide gaillard au teint mat. C'est pas rien qu'une plaie. Il ne survivra jamais.

Arnaud, un montagnard canadien-français, intervient.

— Un maudit fou pour prendre la piste en ce moment!

Autour d'Akuna, les voix s'estompent. L'envie de dormir le terrasse. Mais est-ce bien le sommeil qui l'entraîne, brouillant ses pensées, anéantissant en lui la moindre volonté? L'affolement le gagne. S'il allait mourir? Vite, il doit parler, tant qu'il conserve en lui un reste d'énergie.

— Grand-... Bouleau... les hybrides...

Wats-Hatenha-Wi, le guide iroquois laisse échapper un sifflement admiratif.

— En voilà une fameuse course!

Francisco, un immigrant du pays basque espagnol, soulève délicatement la tête du blessé et glisse le bec d'une outre entre ses lèvres fiévreuses.

— On va s'occuper de tes amis, souffle l'homme en passant sur le front de l'adolescent une poignée de neige serrée.

Soudain, une pensée assombrit Akuna.

— Chinook! Un loup... roux...

— Fameuse bête, admet le Basque. On l'a vu à l'œuvre. Il menait une petite meute. Mais il n'est pas joli à voir. Va falloir l'abat...

D'un froncement de sourcils, le guide lui impose le silence; mais Akuna comprend. Chinook, son vieux copain... L'adolescent entend Francisco armer sa carabine. Il voudrait hurler. Chinook! Un sommeil comateux l'emporte. Il se sent mourir...

Chapitre 29

Amarok n'en croit pas ses yeux. Les secours sont là!

Il reste sans bouger, fasciné par les *komatiks* qui, au loin, serpentent entre les coteaux. Le vieux les regarde un long moment avant de songer à en avertir les villageois. Aussitôt les hommes armés se précipitent hors des cabanes. Amarok tend une main vers la plaine. Tous entendent les grelots. Des alléluias jaillissent de toutes parts, vibrent dans l'air frais. Eleanor se précipite au-devant des sauveteurs. Akuna n'est pas là! Une douleur sourde l'étreint. Le premier *komatik* fait halte à sa hauteur.

— D'où venez-vous ? Qui...

— Votre Antoine est devenu un sacré bonhomme, m'dame, l'informe aussitôt Wats-Hatenha-Wi en reconnaissant celle qu'il a menée au village il y a dix ans. Eleanor vacille. L'autochtone met pied à terre, la prend doucement dans ses bras.

— Il est chez moi. Juste besoin de repos.

Eleanor s'abandonne sur la poitrine du guide, incapable de retenir ses larmes. Wats-Hatenha-Wi l'enlace, soutenant sa marche. Les chiens trottent derrière eux. Un renard blanc traverse le chemin à pas vifs. Il fait bon ce matin...

Le vent anordit. La neige cesse. Le soir prend possession du ciel clair qui s'étoile lentement. La tiédeur de l'air persiste. On croirait que la nature s'efforce de ne pas troubler la paix revenue. Les gens d'Inoucdjouac sont à l'honneur. On leur a préparé une réception dans la salle de classe. Il y a, hélas, de nombreuses places vides autour de la table. La femme de Grand-Ours qui, depuis la mort de son mari demeurait à Grand-Bouleau avec ses deux fillettes, est retournée à Longue Maison. Rien ne la retient chez les Blancs, à part peut-être… Mais à quoi bon en parler? L'homme ignore tout des sentiments qu'elle éprouve pour lui.

On a peine à reconnaître Amarok, dans une forme éblouissante. Certes Akuna vient de réussir un exploit qui le comble d'orgueil, mais cela ne justifie pas une telle transformation de sa personne. Le vieux est métamorphosé. Il porte un costume de peaux fraîchement taillées, ses moustaches, qu'il soignait avec autant de soin que ses chiens, ont disparu et ses longs cheveux sont soigneusement nattés. Axime le questionne sur les raisons de cette nouvelle apparence. Amarok n'a rien à dire.

Alors on passe à un autre sujet tout aussi époustouflant. Barton! Barton en habit de velours et de soie, mangé par les mites, certes, mais de bonne coupe. Barton est rayonnant. Les gens d'Inoucdjouac lui ont remis une lettre de la reine Victoria. Elle lui pardonne. Il était donc bien ce marquis banni que, depuis dix ans, il affirmait être. Barton leur lit même sa lettre. L'auditoire n'en revient pas.

Ce que le magasinier ne dit pas, c'est qu'il a reçu une autre missive. Isabel, son épouse, s'est remariée deux mois après son départ d'Angleterre. Il n'allait tout de même pas pleurer pour cette infidèle !

Arrive le récit de la grande course.

Arnaud raconte l'aventure fantastique telle qu'Akuna la leur a contée. Eleanor est éblouie par tant d'héroïsme, mais elle tient bon. Elle est simplement un peu plus pâle qu'à l'ordinaire. Mais quelle fierté brille dans ses yeux ! Amarok, bien sûr, est dévasté par la perte des chiens. Mais... Et Chinook ?

— On venait d'installer le garçon sur un traîneau, continue Francisco, quand du tas de cadavres des Bêtes, je vois ce pauvre loup qui remue. Faut abréger ses souffrances, que j'me dis, pas vrai ? Je lui mets le fusil sur le crâne, quand se produit une sorte de miracle. Il dresse la tête, me regarde... J'ai pas pu tirer.

— Bravo ! exulte Amarok.

— Akuna s'en occupe là-bas. Chinook s'en sortira. Albert, intervient Wats-Hatenka-Wi, ce loup vous appartient. Si je vous en offrais, cinq cents dollars en or ?

Le forgeron secoue négativement la tête.

— Faut jamais séparer des amis. Qu'il le garde, son Chinook. De plus, Tanik a besoin d'un père pour ses petits.

Amarok sourit. Dire qu'il croyait que sa louve était malade. Sacré Chinook ! Albert est généreux. Chacun sait qu'il tenait à son loup.

— Et que vouliez-vous en faire ? questionne Eleanor.

— Mais... l'offrir à votre fils, ma chère, répond le guide.

Des coups de sifflets appréciateurs accompagnent la réplique de l'Iroquois. Eleanor est comblée en son cœur de mère et tout émue en son cœur de femme. En bout de table, l'Iroquois ne l'a pas quittée des yeux de la soirée. C'est entre les crêpes au sirop d'érable et l'alcool de bleuets qu'Amarok prend la main d'Eleanor et se décide à parler. Sa voix est peu assurée, ses mots maladroits, mais il va jusqu'au bout de son épreuve. Il est touchant de naïveté, ce vieillard magnifique, bien droit dans sa belle tenue de montagnard, avec ses gros doigts malhabiles qui triturent le lacet de sa chemise. Les lèvres frémissantes d'émotion, il fait part à son amie de ses tendres sentiments. Eleanor, rouge de confusion, ne sait que répondre. Elle éclate en sanglots et rentre précipitamment chez elle.

Amarok reste longtemps les yeux baissés sur son assiette. Il n'ose affronter le regard des autres. La veuve de William lui tend une bolée de pouding au riz et se penche sur son épaule.

— Son cœur est pris depuis dix ans, Amarok. Moi, en d'autres circonstances, j'aurais dit oui.

Amarok porte la main de la femme à ses lèvres.

Le vieux est dévasté. Seul le Grand Esprit sera capable de l'apaiser un peu. Il va s'enfermer dans la petite hutte faite d'écorces et de branches, bâtie derrière sa cabane. Il allume un feu au centre, y dépose des pierres volcaniques et les arrose d'eau. Plongé dans la vapeur brûlante, le corps rejette les impuretés mentales qui bloquent l'envol de l'âme vers le Créateur.

Amarok se dénude puis il cherche sa pipe. Il se souvient de l'avoir jetée. Quelle bêtise! Justement quand son besoin d'herbes est si urgent. Une bouffée de vapeur brûlante s'échappe des pierres ardentes. Une mélopée roule dans sa gorge. Ce chant représente le son libérateur sur lequel se concentre son esprit. La suée terminée, Amarok sort de la hutte, le corps environné d'un brouillard transparent. Derrière la *hutte aux pierres chaudes,* se dresse l'arbre sacré, union du ciel et de la terre. Amarok y applique son corps nu. Dieu, la Terre-Mère, l'espace et lui ne font plus qu'un.

Une matinée superbe. Le vent promène sur le paysage montagneux les parfums savoureux du printemps. Eleanor se dirige vers le boisé. Un bruit de clochettes la fait sursauter. Elle y prête peu attention. Tant de traîneaux sillonnent les environs depuis que les Bêtes ont disparu. Machinalement, elle suit la progression du *komatik* entre les troncs. Antoine ! Son cri se termine sur un sanglot.

Comprimant du poing sa respiration douloureuse, elle court vers lui. Le garçon l'aperçoit. Un sourire naît sur ses lèvres craquelées par le froid. Il s'arrête. Ostiaks et toganees, malgré la fatigue du voyage, se jettent les uns sur les autres. Akuna les sépare d'un fouet rudement manié. Eleanor ne reconnaît plus son fils. Il a des gestes d'homme. Akuna lui tend les bras.

Son petit Antoine, un nom qu'il a oublié, tout comme un jour il l'oubliera peut-être, elle, sa mère. Le garçon enveloppe ses épaules d'un bras solide. Elle sent les muscles rouler sous le mince parka et en éprouve de l'amertume. Les rôles sont bien irrémédiablement inversés. Antoine effleure son front de ses lèvres froides.

— Heureux de te revoir, mère.

C'est la première fois qu'il ne dit pas « maman ». Même le timbre de sa voix a une sonorité nouvelle. Elle est rauque, avec des intonations changeantes. Le cœur d'Eleanor se serre. Antoine repartira. À quoi bon se mentir ? Elle frissonne. Il s'inquiète. Elle s'informe de ses blessures. Il a une mimique désinvolte. Eleanor mord l'intérieur de ses joues jusqu'au goût du sang sur sa langue.

Chinook est couché sur le *komatik*, sur des peaux d'écureuils. Akuna lui tapote la tête. Le loup agite le panache rouge de sa queue. Akuna fait asseoir sa mère. Le loup pose la tête sur ses genoux.

— On rentre chez nous, les enfants! crie le meneur de chiens.

Chapitre 30

Wats-Hatenha-Wi et ses compagnons sont repartis. Le 15 mai, la rivière de la Grande-Baleine reprend sa liberté. Les glaces se fracturent dans un fracas colossal et se précipitent dans les flots à la vitesse d'un galop d'orignal. Gare à l'imprudent qui voyagerait sur une telle piste. *Apun-Ocrea-Lertok,* « il fait printemps, la neige ramollit », disent les Inuits.

Trois mois ont passé. Wats-Hatenha-Wi est revenu deux fois visiter Eleanor. Déjà, ils parlent d'épousailles, ce qui comble Akuna de plaisir. Entre lui et l'autochtone se sont établis de solides liens d'amitié. Auprès d'un tel homme, sa mère sera en sécurité et lui, Akuna, se trouvera libre de ses mouvements. Depuis quelques jours, on voit souvent l'adolescent en compagnie d'Annabelle, se promenant au bord de la rivière. Elle est gentille, c'est vrai, mais après Noami, l'amour est plus délicat.

Accompagnés d'une brise légère et parfumée, les beaux jours s'installent, ressuscitant une terre que le froid a conservée de longs mois sous sa tyrannique domination. Des fleurs multicolores couvrent la toundra. Les oiseaux reviennent du sud, en nuées si denses, qu'ils dissimulent parfois le soleil.

Barton revient de Longue Maison. Steven, qui l'aperçoit de loin, n'en croit pas ses yeux. Il rentre précipitamment dans le magasin afin de prévenir les autres.

— Nom de nom, venez voir ça!

Barton passe, l'air digne, suivi par Vieux-Mocassins, la veuve de Grand-Ours et ses deux fillettes.

Plus tard, tous les hommes sont réunis dans le bar.

— Pas croyable, les odeurs d'océan viennent jusqu'ici.

— Barton, t'oublies la distance qui nous sépare de Tuvaaluk.

— J'dis que c'est salin, Steven. Y a l'goût du sel sur ma langue.

— Tu transpires. Et d'abord, depuis que t'as arrêté de boire, t'es encore plus fatigant qu'avant. L'amour ne t'arrange pas!

— Vieux-Mocassins me préfère à jeun. Revenons à l'air salin!

Barton refuse d'entendre raison. Ces différences d'opinion, bientôt résolument défendues de part et d'autre, finissent en dispute. Pour le magasinier, reliefs et distances n'entrent pas en ligne de compte dans le phénomène.

— Pourquoi qu'on sentirait pas l'océan d'ici, quand les gens des tropiques observent nos aurores polaires ? claironne-t-il. Et je...

La porte s'ouvre à toute volée sur Seka-Kinyan.

— Ça y est, il le fait !

Autour de la table, tous se regardent d'un air incrédule.

— Ah, celui-là ! lâche le docteur.

Dehors, Amarok suit ces propos d'une oreille amusée. Il met la dernière main à son voyage et prépare ses chiens : huit kilos de charge par malamute, bien sanglés sur le dos, équilibrés au creux des reins pour ne pas les blesser ; quatre chiens, trente-deux kilos d'équipement, tout son avoir. Couvertures, poissons séchés, mocassins, quelques vêtements de rechange, un fusil, une hachette et sa bible ; rien d'autre. Il mourra nu comme le monde à sa genèse, à quoi bon s'inquiéter ? Une nouvelle jeunesse persistante au fond du cœur, Amarok va « tripoter les cailloux de Nahanni », dans les Territoires du Nord-Ouest. Pas avec des idées de fortune, non, juste pour sentir encore une fois la vie dans ses entrailles. Le mariage d'Eleanor lui a fait mal, mais il en a vu d'autres. Les moustaches, ça repousse.

Un dernier regard sur Grand-Bouleau, des regrets. Ce qui l'attend à l'autre bout du monde effacera peut-être sa déception. Le plus dur est de quitter Akuna. La douleur qui s'ensuit est difficilement supportable. Une partie de sa vie va cesser d'exister. On ne peut nourrir son esprit simplement d'espoirs, aussi sublimes soient-ils. Il faut savoir se retirer, permettre à ceux que l'on aime de s'épanouir, sans contrainte. Akuna n'a plus rien à apprendre de lui. Amarok est devenu inutile. Il tourne la tête sur son épaule.

— T'arrives petit coquin ?

Le jeune hybride accourt, criant de plaisir.

Le soleil sort timidement de son trou de rochers. L'aurore enflamme l'horizon d'une flamboyante chevelure. Amarok s'en va. Comme il déteste les adieux, il n'en fera pas. C'est mieux ainsi. Trop de choses le rattachent à ces montagnes ; des bonnes et de celles qui laissent une empreinte cuisante à l'âme.

Ses chiens, reliés l'un à l'autre par un mince lien de cuir, se mettent en marche, menés par Tanik. La progéniture de la louve, quatre louveteaux, ronds et doux, tout le portrait de Chinook, caracole le long du convoi, suivis par la petite Bête. Le vieux s'éloigne à grands pas. Plus vite il sera loin, mieux ce sera. Maudite sentimentalité qu'il dissimule depuis si longtemps. Bah ! ce n'est certainement pas avec une fleur aux lèvres que l'on se fabrique une légende durable.

Amarok passe la colline dressée à l'ouest de Grand-Bouleau. Il sait qu'à partir d'ici on n'aperçoit plus le village. C'est fini. Amarok est seul. Soudain, une colonne de trois malamutes menée par Chinook, débouche d'un sentier devant lui. Akuna s'était dissimulé sur la piste qu'emprunterait obligatoirement le vieux. Il l'attendait pour un dernier au revoir, à l'abri des regards, avant d'aller courir le pays, comme à son habitude. Akuna rejoint son ami, marche à sa hauteur avec un sourire tout à la fois malicieux et attendri.

— Tu m'accompagnes jusqu'où, petit? fait le vieux.

— Jusqu'au bout, Amarok, si tu veux bien. Où tu vas?

Le cœur du vieillard chavire sous l'effet d'une émotion intense. L'amour d'un enfant, c'est réconfortant pour un vieux. Ça lui permet de rester jeune plus longtemps, de se sentir encore bon à quelque chose. Akuna part avec son vieil ami, par-delà des centaines d'horizons. Il le suit, cet homme qu'il aime plus que tout. Sacré Amarok. Quand Akuna lui a demandé d'être du voyage, il a pincé la bouche, l'air indifférent. Après une hésitation, il a dit oui, du bout des lèvres, le salaud! Quand ça lui faisait visiblement si plaisir.

Dans la poitrine d'Amarok, les douleurs ont quasiment disparu. Le docteur dit que son cœur connaît une sorte de miracle. Il suit un rythme printanier. Probablement qu'avant, c'était simplement les nerfs. Un petit rire agite sa barbe rouge. Amarok dissimule sa joie. La montrer le rendrait vulnérable. Il se retient.

— Au fait, Amarok, j'ai retrouvé ta pipe devant chez toi.

— Jette ça ! Les herbes, c'est des rêves qui font mal. Ma fin de vie, je la veux lucide.

Voilà. Amarok a fait le grand ménage dans sa tête. Sa vie peut recommencer. Et l'adolescent qui lui dit :

— Dieu m'aurait permis de choisir mon père, je t'aurais pris.

Amarok a envie de crier. Il tourne la tête sur le côté pour ne pas laisser voir ses traits déformés par la joie. Le garçon pétrira le pain pour eux deux, il l'a promis. Il ne reste au vieux que des paumes, plus très agiles. Le soir, ils liront la Bible.

— Va Tanik ! Pis vous, les p'tits bâtards, suivez votre mère.

Il rit aux éclats. Akuna l'imite, sans savoir pourquoi, juste comme ça, à cause du bonheur. Devant eux, un voyage d'un an, peut-être plus, qu'importe. Ce sera l'Arctique ou les monts Mackenzie, ils verront sur place. Mais surtout pas l'Alaska, pas de tourisme chez ceux qui persécutent leurs loups. Ils partent ensemble. Un défi excitant. Ils iront à pied, en raquettes et par *komatik* fabriqué sur place. Le temps ne compte plus.

Amarok a encore tant de choses à montrer à l'adolescent. Sans compter qu'approche le jour où il faudra lui trouver un vrai nom. Akuna-Aki, c'est *Entre-Deux-Peaux*, un nom d'enfant. À présent, Antoine est un homme. Oka-Waho, Petit-Loup, en langue iroquoise, lui conviendrait mieux. Oka-Waho, le nom de ce fils qu'Amarok a perdu. Ce serait un peu comme s'il adoptait son jeune ami…

— Et ce combat pour le championnat?

Le vieux lâche un gloussement.

— Ça te plairait que je l'oublie, hein? Rassure-toi, mon garçon. Je m'y remettrai au retour.

— À soixante-cinq ans? Je sais, l'âge n'a rien à voir là-dedans.

Son vieux compagnon ne changera jamais et c'est aussi bien. Akuna touche sa poitrine. Près de son cœur, enveloppée dans un papier imperméable, il y a une feuille soigneusement pliée. La lettre que Noami lui a donnée le soir de leurs fiançailles. Un jour, il sera capable de la lire seul, Amarok le lui a promis.

Tantôt, Annabelle se tenait devant sa porte, dans une belle robe de lin aux dentelles bleues et rouges que l'on voyait de loin. Elle savait que se préparait un drame dans sa vie. Elle n'avait pas dormi de la nuit, s'était levée tôt, avait passé son plus joli vêtement, pour lui… Elle ne pleurait pas. Akuna aurait aimé la prendre dans ses bras, lui dire les mots qu'elle réclamait du fond de son regard rempli d'amour et de détresse. Cela aurait trop ressemblé à de la pitié. Il avait simplement agité la main et mis ses chiens au pas.

Elle l'avait rappelé.

— Akuna, si tu reviens, je serai là, toujours…

Il s'était retourné.

— Alors, peut-être...

Le reste de sa phrase avait dû se perdre dans un gazouillis de merle, un cri de Chinook, qui sait. À moins qu'il n'ait pas osé la finir...

— Va, mon loup...

Table des matières

Dans la même collection

— 1. *Un Amour de chat,* Michel Lavoie, 12 ans et plus, ISBN 978-2-921463-49-2

— 2. *La Porte des Ténèbres* (Le cycle de l'Innommable, tome 1), Skip Moën, 12 ans et plus, ISBN 978-2-921463-54-6

— 3. *Mystères et chocolats,* Anne-Marie Fournier, 9 ans et plus, ISBN 978-2-921463-53-9

— 4. *L'Invasion des Ténèbres* (Le cycle de l'Innommable, tome 2), Skip Moën, 12 ans et plus, ISBN 978-2-921463-58-4

— 5. *La main dans le sac,* Anne-Marie Fournier, 9 ans et plus, ISBN 978-2-921463-63-8

— 6. *Une aventure au pays des Ouendats,* Micheline Marchand, 12 ans et plus, ISBN 978-2-921463-77-5

— 7. *Une rentrée en clé de sol,* Anne-Marie Fournier, 9 ans et plus, ISBN 978-2-921463-76-8

— 8. *Le chant des loups* (Sébastien de French Hill, tome 1), Françoise Lepage, 9 ans et plus, ISBN 978-2-921463-78-2

— 9. *Le montreur d'ours* (Sébastien de French Hill, tome2), Françoise Lepage, 9 ans et plus, ISBN 978-2-921463-81-2

— 10. *Dure, dure ma vie!,* Skip Moën, 12 ans et plus, ISBN 978-2-921463-71-3

— 11. *Le héron cendré* (Sébastien de French Hill, tome 3), Françoise Lepage, 9 ans et plus, ISBN 978-2-921463-84-3

— 12. *Quand la lune s'en mêle...,* Marguerite Fradette, 12 ans et plus, ISBN 978-2-921463-88-1

— 13. *Gontran de Vilamir,* Michèle LeBlanc, 12 ans et plus, ISBN 978-2-921463-87-4

— 14. *Poupeska,* Françoise Lepage, 9 ans et plus, ISBN 978-2-923274-09-6

— 15. *Monnaie maléfique,* Stéphanie Paquin, 9 ans et plus, ISBN 978-2-921463-90-4

— 16. *À la vie à la mort,* Micheline Marchand, 12 ans et plus, ISBN 978-2-923274-12-6

— 17. *Alexandre et les trafiquants du désert,* Jean Mohsen Fahmy, 12 ans et plus, ISBN 978-2-923274-08-9

— 18. *La maison infernale,* Michel Lavoie, 14 ans et plus, ISBN 978-2-923274-32-4

— 19. *William à l'écoute!,* Johanne Dion, 10 ans et plus, ISBN 978-2-923274-43-0

— 20. *Aurélie Waterspoon,* Gilles Dubois, 14 ans et plus, ISBN 978-2-923274-51-5

— 21. *Les chercheurs d'étoiles,* Françoise Lepage, 10 ans et plus, ISBN 978-2-923274-44-7

Les Éditions L'Interligne
261, chemin de Montréal, bureau 306
Ottawa (Ontario) K1L 8C7
Tél. : 613-748-0850 / Téléc. : 613-748-0852
Adresse courriel : communication@interligne.ca
www.interligne.ca

Œuvre de la couverture : Christian Quesnel
Graphisme : Estelle de la Chevrotière
Correction des épreuves : Hélène Detrait
Distribution : Diffusion Prologue inc.

Les Éditions L'Interligne bénéficient de l'appui financier du Conseil des Arts du Canada, de la Ville d'Ottawa, du Conseil des arts de l'Ontario et de la Fondation Trillium de l'Ontario. Nous reconnaissons l'aide financière du gouvernement du Canada par l'entremise du Programme d'aide au développement de l'industrie de l'édition (PADIÉ) pour nos activités d'édition.

Les Éditions L'Interligne sont membres du Regroupement des éditeurs canadiens-français (RÉCF).

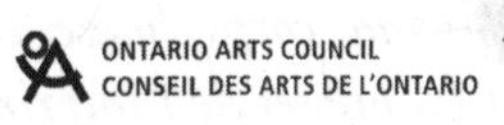

Public Library